Universale Economica Feltrinelli

MANUEL VÁZQUEZ MONTALBÁN
RICETTE IMMORALI

Traduzione di Hado Lyria

Feltrinelli

Titolo dell'opera originale
RECETAS INMORALES
© Manuel Vázquez Montalbán, 1988

Traduzione dallo spagnolo di
HADO LYRIA

© Giangiacomo Feltrinelli Editore Milano
Prima edizione "Fuori collana" ottobre 1992
Prima edizione nell'"Universale Economica" gennaio 1994
Undicesima edizione novembre 1998

Le illustrazioni sono di Roberto Perini
© Roberto Perini 1992

ISBN 88-07-81263-0

Compilare una serie di ricette e chiamarle immorali richiede qualche spiegazione, non eccessiva, per non mettere il lettore nella scomoda e ingiusta situazione del commensale a cui si offrono masticate persino le immoralità. Potrebbero essere cento, mille, un milione... tutte le ricette possibili. Innanzi tutto bisogna chiarire che la morale non è un valore assoluto bensì relativo e che di conseguenza anch'essa è immorale. Ognuna di queste ricette è una scommessa su un'altra morale possibile, su una morale edonista alla portata di coloro che credono in una felicità immediata, basata sull'uso e persino sull'abuso di saggezze innocenti: saper cucinare, saper mangiare, cercare di imparare ad amare. Ogni ricetta proviene da un'immoralità diversa: alcuni le hanno pensate per quattro persone, altri per sei, altri ancora per otto. È l'ipocrisia della ricetta familiare che può finir sempre con un pizzicotto o una siesta. Ma tutte si possono adattare al numero due. Due commensali, tre al massimo. Da questo numero in poi l'immoralità può diventare una gita in torpedone. Dobbiamo inoltre riflettere sul concetto di piacere. Tutti i piaceri sono goduriosamente immorali, perché solo la sofferenza è morale. Come disse Tommaso da Kempis nella sua *Imitazione di Cristo*.

Siamo nati per soffrire

E la questione diventa tanto più immorale quando bisogna sommare o combinare due piaceri così definitivi come il mangiar bene e far bene l'amore. Non sto cercando il pelo nell'uovo a una presunta cucina afrodisiaca inesistente, ma di concepire il mangiare in compagnia come una situazione afrodisiaca di per sé, soprattutto quando la buona chimica del cibo coincide con la buona chimica dei commensali. Mangiare bene, e bere ancor meglio, rilassa gli sfinteri dell'anima, sconvolge i punti cardinali della cultura repressiva e prepara alla comparsa di una comunicabilità che non va sprecata.

È con questa filosofia che presento le mie ricette immorali, come un pretesto per una nuova situazione liberatoria. In ciascun caso esiste qualche relazione tra la ricetta scelta e la situazione erotica che propongo. Come esistono associazioni di idee, esistono pure le associazioni commestibili tra quanto offre il piatto e quanto offre il letto. Per esempio, sarebbe del tutto sconsigliabile cercare di mettere insieme una fetta di lonza di maiale impanata servita con le mele e una partner bionda, con carni molli e denti radi. Questo tipo di partner è la fine del mondo con del fegato di pollo gratinato e spinaci mangiati con un po' di svogliatezza.

È possibile notare in questo ricettario commentato che, talvolta, cerco di andare oltre i rapporti maschio-femmina, e non perché non creda nelle donne, ma perché ritengo legittimo supporre altre relazioni, legittimate dalla realtà sociale. Poiché nella società esiste una sessualità omosessuale, sarebbe assurdo supporre che le associazioni gastronomico-sessuali debbano essere solo tra eterosessuali. Ho compiuto un coscienzioso sforzo di immaginazione e di verifica per offrire varianti omosessuali relative a ricette che possono essere specificamente omosessuali. Sarebbe possibile addirittura stilare un elenco dei prodotti più adatti a una cucina omosessuale, e in seguito specificare quali siano più adatti a coppie omosessuali maschili e quali a coppie omosessuali femminili.

Ma lascio questo compito agli specialisti dell'anima e del corpo; ogni chiesa ha i suoi dottori, che saranno più bravi di me a capire il loro latino e il loro miserere. Tuttavia sarebbe ingiusto non rendere omaggio agli omosessuali per le battaglie compiute per conquistare l'ingresso degli uomini in cucina. Se è stata eroica la lotta delle donne per diventare comandanti, gendarmi, *guardia civil* o campionesse di lotta libera, non è stata da meno quella degli uomini per ottenere il permesso di entrata nelle cucine domestiche. Sospetto addirittura che più di un uomo abbia fatto le proprie scelte sessuali, sia per via onanistica che per via gay, allo scopo di diventare il vero padrone della sua cucina. La saggezza popolare femminile ha tratteggiato l'uomo che si caccia in cucina come un essere effeminato e sospetto. Ma sostengo che gran parte della tenerezza culinaria legata alla comunicazione è stata conquistata dagli omosessuali nelle loro cucine. Piatto preferito dei pionieri gay fu la *vichyssoise*, senza che si conosca del tutto il motivo di questa predilezione per la cosiddetta "regina delle creme fredde", forse dovuta all'ambiguità fondamentale conferita a questo piatto dal sale di sedano e dal sedano stesso in quanto pene vegetale con lingue protettrici di un cuore intimo e bianco.

È ovvio che tutte le ricette che propongo sono arbitrarie, scelte dal mio arbitrario punto di vista: non a caso lo scrittore è un arbitro che decide ossessioni e parole. Molte di queste ricette si possono assaggiare nei ristoranti. Altre appartengono alla Storia della gastronomia, più che alla sua realtà attuale, come il famoso *Oreiller de la Belle Aurore*, di Brillat-Savarin. Tuttavia, poiché sono un fanatico della "restaurazione" e dei "restauratori", vorrei inculcare l'abitudine di cucinare per raccogliere in seguito i frutti dell'amore o le sue sessualità, o dell'amore e le sue sessualità, che non è la stessa cosa. Perciò il lettore coglierà di continuo la proposta o la supposizione che debba affaccendarsi tra pentole e tegami prima di farlo tra le lenzuola. Non si tratta soltanto di efficacia persuasiva, pur sapendo che è assai difficile rifiutarsi a chi ha passato quattro ore a spentolare per te, senza esservi costretto dall'epistola di San Paolo Apostolo o dalla divisione del lavoro domestico. Perché, inoltre, è cucinando l'elisir che si controlla l'intero processo, e il piacere ottenuto al suo compimento sarà senz'altro maggiore.

Tenuto conto dell'ondata di conservatorismo morale dominante mi vedo costretto a dichiarare, e dichiaro, che nessuno di questi piatti è portatore di AIDS, e consiglio quindi di mangiarli senza preservativi spirituali. Sempre a motivo di questa nuova moralizzazione galoppante, tipica di periodi di crisi economiche e paure sociali, è possibile riscontrare in questo libro l'intenzione di fomentare l'adulterio, l'infedeltà e l'aberrazione, ma non è questa la sua intenzione. Si potrà sostenere che non vi appaiono ricette o situazioni che descrivano rapporti amorosi stabili per non dire poi di quelli matrimoniali. Per quanto riguarda le coppie stabili o i coniugi molto convenzionali, sospetto che la loro sessualità sia qualcosa di eccezionalmente ludico legata a periodi o feste di precetto, e di conseguenza li associo quasi per fatalità ai dessert. I dessert, soprattutto la pasticceria, sono ciò che sessualizza di più, e meglio, le coppie dalla morale irreprensibile, dopo aver esaurito la vecchia risorsa di andare all'estero a vedere un film a luci rosse, esaurita perché i film a luci rosse si possono vedere ormai a qualsiasi ora e ovunque e hanno perso il loro essenziale sapore di frutto di celluloide proibito. Su questa scia sono

11

senz'altro da consigliare le banane, perché in esse il rapporto tra significante e significato, contenitore e contenuto, è direttamente referenziale. Nove mariti su dieci a cui l'onesta moglie ha offerto un dessert di banane flambées hanno colto una diretta provocazione sessuale. Come provano certe statistiche che ho letto una volta, in un certo posto, non so bene quando.

Manuel Vázquez Montalbán

Entrate e uscite

Mi si deve concedere quanto meno il beneficio del dubbio prima di decidere se il titolo di questo capitolo sia una volgarità referenziale o una semplice constatazione: quelli che un tempo si chiamavano *entrées* o primi piatti sono oggi diventati piatti unici o portate principali, tanto poco mangia l'umanità in questa fine di secondo millennio dell'era cristiana. Se Apicio, il gastronomo romano che diede inizio alla cucina snob e alla cucina erotica, alzasse la testa, verrebbe colpito a morte da un attacco di anemia visiva. Comunque è sempre opportuno ricordare che la cucina strumentalizzata alla sessualità deve avere il suo giusto tempo a tavola, né più né meno.

Un lungo incontro a tavola e un dopo tavola lungo allontanano l'oscuro oggetto del desiderio. Ecco perché una delle *entrées* che propongo spiega come uscire facilmente dall'incontro a tavola per incontrarsi a letto, o in qualsiasi luogo o mobile che faccia al caso. Ed è per questo motivo che ho scelto il titolo generico di *entrate e uscite*, semplicemente. Lascio alle urgenze immaginative della persona più attiva dell'incontro che il piatto prescelto richieda una degustazione lunga (l'*Oreiller* o guanciale) o una degustazione a pretesto, come per *La tentazione di Jansson*. A ciascuno il suo.

Guanciale della Bella Aurora
Oreiller de la Belle Aurore

(Per 5 chili e mezzo)
500 g di vitello magro, metà a listarelle e metà tritato
2 pernici disossate e tagliate a listarelle, tenendo da parte le ossa e il fegato
filetto di lepre disossato e tagliato a listarelle, tenendo da parte le ossa
anatra disossata e tagliata a listarelle, tenendo da parte il fegato e le ossa
500 g di maiale magro, metà a listarelle e metà tritato
250 g di prosciutto crudo, metà tritato e metà a listarelle
2 animelle di vitello schiacciate, tagliate a rondelle
250 g di pancetta grassa (o lardo) tritata
250 g di fegatini di pollo
125 g di midollo di bue sminuzzato
2 cucchiai di olio di oliva
30 cl di aceto di vino bianco
2 o 3 cipolle tagliate a rondelle
1 grosso rametto di timo
sale e pepe
125 g di champignon tritati
125 g di burro
125 g di tartufi neri tagliati a dadini, con le bucce tritate
2 uova
60 g di mollica di pane cotta nel brodo e ridotta a un impasto fine
1 kg di pasta sfoglia
125 g di pistacchi sbucciati
2 tuorli d'uovo sbattuti con due cucchiai d'acqua
brodo di gelatina preparato con tutte le ossa tenute da parte

14

Mescolate tutte le listarelle di carne, tranne quelle del prosciutto, insieme alle animelle, all'olio di oliva, all'aceto, alle cipolle, al timo. Salate e pepate e lasciate marinare per 12 ore. Unire il vitello, la pancetta grassa (o lardo) e il prosciutto tritati. Salare e pepare. Condite i fegatini di pollo e gli champignon, che vanno rosolati al burro per 5 minuti. Quando si saranno raffreddati, sminuzzateli insieme al midollo di bue, passateli al setaccio e aggiungete le bucce di tartufo. Mescolate a ciascun trito un uovo, e metà dell'impasto di pane e brodo. Su una teglia da forno stendete la metà della pasta sfoglia allo spessore di circa 1,5 cm. Disponetevi 10 o 12 strisce longitudinali di listarelle di carne, comprese quelle di prosciutto, lasciando un bordo di 7,5 cm per lato. Tra le strisce di carne mettete i pistacchi e i dadini di tartufo. Coprite questo strato con carne trita di vitello e di maiale. Fate un altro strato con listarelle di carne, adoperando anche le animelle e aggiungendovi tartufi e pistacchi, ma non il prosciutto. Coprite con i fegatini tritati. Procedete sovrapponendo altri strati fino a esaurimento della carne. Coprite con i pezzettini del burro rimasto. Tirate la pasta sfoglia rimasta e coprite il pasticcio. Inumidite i lembi e congiungete i bordi della pasta formando un orlo decorativo.

Alla base del pasticcio aggiungete una striscia di pasta, come il volant di un guanciale. Lustrate la superficie della pasta con tuorlo d'uovo e acqua. Fate poi cinque buchi sulla superficie del pasticcio e inserite in ciascuno di essi una "ciminiera" fatta con carta da forno. Il pasticcio va cotto in un forno preriscaldato a 180° per 2 ore. Quando si sarà leggermente raffreddato, versate un po' di brodo liquido dalle "ciminiere". Lasciatelo raffreddare e poi conservatelo in frigorifero. Va servito il giorno dopo.

La leggenda narra che il noiosissimo Brillat-Savarin abbia creato questo piatto per sua madre. In lui tutto era eccessivo e il fatto che abbia cercato di associare un simile piatto a mamma sua può venir interpretato come un tributo quasi incestuoso di amore proteinico e unto oltre ogni limite, se non come un machiavellico contributo a una cirrosi lenta ma irreversibile. Si ignora come abbia reagito la "Belle Aurore" a questo guanciale, come si ignorano i danni e i benefici causati dalla gastrosofia di Brillat nei suoi contemporanei. È un piatto eccezionale, questo sì, una delle vette della gran cucina calorica e paziente che non appare quasi più nei menù dei ristoranti e che, invece, può essere il risultato di un esercizio culinario casalingo, da scapolone con molte ore da spendere, che può addirittura sfruttare il merito di un così lungo lavoro per costringere la partner alla resa.

Dopo un simile sfoggio culinario, saranno pochi i partner a non passare direttamente dalla tavola imbandita al letto. Tuttavia, tenuto conto della laboriosa digestione di questo guanciale, si consiglia di fare l'amore in modo che i corpi non si pesino reciprocamente addosso. Non solo, un piatto tanto solido richiede un atto sessuale convenzionale e sudato, con quei sudori tartufati che l'*Oreiller de la Belle Aurore* suscita di solito. Poi niente doccia. Un bagno tiepido in una vasca stile Impero, con acqua profumata di zàgara. In seguito un calice di champagne frappé e di nuovo l'amore, se la realtà e il desiderio riescono a mettersi d'accordo.

Riso con le vongole

(Per 5 persone)
1/2 chilo di riso
1/2 chilo di vongole sgusciate
2 spicchi d'aglio
1 peperone verde
prezzemolo tritato
1 dl di olio
1 l e 1/2 di brodo di verdure

Versate l'olio in una casseruola di terracotta, insieme al peperone verde tritato, in modo che si ammorbidisca un po'. Subito dopo aggiungete il trito d'aglio, il riso e le vongole ben lavate. Quando il riso e le vongole cominciano a imbiondire, coprite il tutto con un po' di brodo. Aggiungete una buona quantità di prezzemolo tritato. Versate il resto del brodo (tre volte la quantità del riso), cuocendo il tutto a fuoco vivo per 20 o 30 minuti. Quando il riso è quasi pronto, ritiratelo dal fuoco e lasciatelo riposare per 5 minuti.

Piatto aromatico a cui poco aggiunge la base neutra del riso e lo scontro ambiguo con le vongole. Ma, che aromi! È un piatto che va annusato in modo profondo, ampiamente, con il naso che volteggia sulla patria biancoverde e morbida del riso e del prezzemolo. Piatto da cena in veranda, quando il crepuscolo affaccia il suo capo bifronte di sole e di luna, "capvestre" (capovespero) lo chiama una lingua civile come il catalano. Da cena in veranda biancomalva con vetrate precise affacciate sul Mare del Nord, o da cena in una veranda liberty aperta in mezzo a un'esplosione di imprecise piastrelle di maiolica che guarda il Mediterraneo.

Si può anche fare con le telline, schifosamente piene di sabbia, ma economiche; e consente di apprezzare il naso del partner, appendice, all'apparenza, di scarso rilievo erotico ma che tanto ne ha nella pratica.

Melanzane all'alessandrina

(Per 4 persone)
4 melanzane
1 pizzico di coriandolo in grani
8 foglie di menta fresca
2 cucchiaini da caffè di aceto
12 datteri
pinoli
1 grosso cucchiaio di miele
1 cucchiaino da caffè di pasta di acciughe
1 pizzico di comino
1/2 bicchiere di vino bianco
1 grosso cucchiaio di olio di oliva
1 pizzico di pepe
1 pizzico di sale

Fate cuocere le melanzane in una pentola d'acqua bollente: dopo averle sgocciolate e sbucciate, disponetele in una pirofila. Tritate i pinoli e i datteri e metteteli in un recipiente profondo dove, insieme al miele, verserete l'aceto, il garum,[1] *il vino bianco e l'olio. In un mortaio pestate poi il coriandolo in grani, la menta e il comino. Dopo aver mescolato tutti gli ingredienti, versate l'impasto ottenuto sulle melanzane. Scaldate il tutto sino a quando si alza il bollore. Abbassare il fuoco e cuocere a fuoco lento per 15 o 20 minuti. Prima di servire, condire con sale e pepe.*

[1] Nome dato dagli antichi romani a un particolare condimento a base di interiora di pesce e spezie macerate. Qui sta, ovviamente, per pasta di acciughe.

Questa ricetta – non a caso alessandrina – viene tuttavia attribuita ad Apicio, cuoco e gourmet nevrotico, di cui si insinua avesse un rapporto per niente chiaro con Druso, fratello di Tiberio. Si tratta comunque di un intruglio mediterraneo fatto con la sua materia prima fondamentale, ma che non intende avvalersi delle melanzane per dimostrare che la mediterraneità è faccenda poco chiara, al di là di quanto sostengono De Chirico, D'Ors e Joan Manuel Serrat. Nell'inventario delle mediterraneità, figurano per diritto estetico proprio il pino, l'alloro, il limone e l'ulivo, senza che si sappia quale distrazione creativa fece sì che Geova, in fin dei conti mediterraneo, collocasse un oggetto brutto e ambiguo come la melanzana tra la flora e la fauna del Mare Nostrum. Perché, tanto per cominciare, la melanzana è carne o verdura? Domanda sbagliata per iniziare una cena, meglio schivarla. Eppure durante una cena di omosessuali maschi, alla quale questo piatto calza a pennello, non sarebbe disdicevole un pizzico di erudizione e, a un certo punto, mentre si descrive l'aspetto fallico-demoniaco della melanzana nera, si può ricordare l'ambiguo rapporto tra Apicio e Druso, all'ombra di quel pazzo furioso che si chiamò Tiberio. Piatto per l'estate e per il mare. Il Mediterraneo, perché no? Conviene che i commensali siano piuttosto abbronzati.

21

Frittelle di fiori di zucca

(Per 6 persone)
18 fiori di zucca
olio per friggere
60 g di burro
2 cipolle tritate
100 g di mollica di pane
sminuzzata
3 tuorli d'uovo
3 cucchiai di prezzemolo tritato
1 cucchiaio di buccia di limone
grattugiata
sale e pepe
125 g di farina
15 g di burro fuso
15 cl di birra leggera
1 albume d'uovo

Preparate prima la pastella, setacciando la farina e il sale in una fondina. Aggiungete il burro fuso al centro, impastate la farina e versatevi a poco a poco la birra: lasciate riposare per un'ora. Fate fondere poi il burro rimasto e soffriggetevi la cipolla senza imbrunirla. Versate il tutto in una scodella e aggiungete la mollica di pane, i tuorli, il prezzemolo, la buccia di limone, il sale e il pepe.

Con questo ripieno si farciscono i fiori. Montate le chiare a neve e aggiungetele alla pastella un momento prima di friggere. Immergete i fiori ripieni nella pastella e poi posateli nell'olio bollente. Quando hanno acquistato un colore dorato, ritirateli dall'olio con la schiumaiola e lasciateli sgocciolare su una carta assorbente.

Se si riesce a far sì che la situazione amorosa coinvolga una persona rossa di capelli dalla psicologia complicata e un po' letteraria, si ottiene qualcosa di simile alla perfezione, perché questo piatto, popolare nelle case romane, è come poesia fritta da un poeta nordamericano ma meridionale. Non so se mi spiego. È un piatto che potrebbe comparire in una tragedia di Tennessee Williams o di García Lorca, mai in una di Ibsen o di Strindberg.

Se la persona dai capelli rossi è femmina, è indispensabile che porti la pamela, e che si orni i lobi delle orecchie o i seni di fiori fritti in modo da costringere il partner a coglierli con la bocca e a mangiarli delicatamente, cercando di non far rumore, nonostante i fiori fritti manifestino di solito un'indole crocchiante. Ma quest'eccezione non sta a confermare alcuna regola: si comincia col friggere fiori e si finisce col vendere acqua di mare di Cap Sounion in lattine. Ma la frittura è l'ideale per questi fiori, perché stanno alle zucchine come la Lolita di Nabokov sta a sua madre: un sapore sottile e tanto transitorio che non avrà nemmeno tempo di acquisire memoria di se stesso.

23

Cardi economici alla borghese

(Per 4 persone)
750 g di cardi
sale
4 cucchiai di olio di oliva
scalogno finemente tritato
2 filetti di acciuga dissalati
1 cucchiaino di farina
25 cl di brodo di vitello
pepe
1 cucchiaio di prezzemolo tritato
1 spicchio d'aglio tritato molto fine
2 tuorli d'uovo
1 cucchiaio d'aceto

Scottare i cardi in acqua bollente salata per 5 minuti, sgocciolarli, immergerli in acqua fredda e mondarli eliminando i filamenti. Tagliateli a tocchetti di 10 cm. Nel frattempo fate scaldare l'olio in una casseruola e soffriggete lo scalogno e le acciughe, per far sciogliere le acciughe e ammorbidire lo scalogno. Aggiungete la farina e, quando si sarà bene impastata, versatevi il brodo di vitello, sale, prezzemolo, aglio, pepe e infine i cardi. Devono cuocere a fuoco basso per venti minuti per consentire alla salsa di addensarsi. Sbattete poi i tuorli d'uovo con l'aceto e aggiungete alcuni cucchiai di salsa. Togliete la casseruola coi cardi dal fuoco, amalgamate la salsa con l'uovo e riscaldate il tutto per 2 minuti, senza farlo bollire.

Piatto per sociologi, antropologi ed economisti socialdemocratici promotori dell'austerità per superare la crisi economica, ciclica oppure no. Eccita molto gli ispettori del fisco, di qualsiasi sesso, per l'oscenità sonora e visiva del cardo e per la lussuria risparmiatrice che suscita il mangiare una fibra vegetale stufata con ingredienti economicissimi, due tuorli d'uovo e un paio di filetti d'acciuga. È un piatto da dopoguerra o da periodo tra due guerre difficili, che può proporsi durante una cena di commemorazione, senza luce elettrica per le restrizioni, e con un tozzo di pane nero fingendo di averlo comprato con la tessera annonaria.

Se si fa l'amore, è indispensabile patire un po' di freddo, e sarebbe pertanto sconveniente tenere i termosifoni al massimo. È un piatto ideale per borghesi adulteri e colti che abbiano preso in affitto un appartamento di mezza tacca nella periferia proletaria di una città industriale. Ma, attenzione, questo piatto esige la presenza ineluttabile di un Roederer Cristal e un antipasto di caviale, *pressé* se si vuole, in quanto è più economico e sa di caviale dei poveri o di schiavo nero emancipato dalla proprietaria di un ristorante a New Orleans.

Crema di crostacei

(Per 6 persone)
500 g di gamberi
500 g di granchi di mare
150 g di gamberetti
150 g di cipolla
150 g di porri
200 g di pomodori
100 g di carote
1 peperoncino piccante
4 spicchi d'aglio
3 foglie di alloro
1 rametto di timo
1 rametto di dragoncello
100 g di farina
1/4 di litro di vino bianco
3 bicchierini di cognac
fumetto di pesce

Mettere in padella, con un po' d'olio caldo, le cipolle, il porro, le carote, il peperoncino piccante, l'aglio, l'alloro, il dragoncello e il timo. Lasciar soffriggere fino a quando imbiondiscono, quindi aggiungere la farina, il cognac e il vino. Continuare a soffriggere per qualche secondo e unire il pomodoro, il brodo di pesce, i gamberi, i granchi di mare e i gamberetti, lasciando cuocere il tutto per circa 30 minuti a fuoco medio. In seguito, dopo averlo ritirato dal fuoco, passare il tutto al setaccio. Servire caldo.

Non bisogna lasciarsi impressionare dal fatto che gli ingredienti principali di questo piatto siano, in parti uguali, i gamberi e i granchi di mare. Si è sempre creduto nel potere afrodisiaco dei crostacei, potere di suggestione che a mio parere ha influenzato un'intera cultura basata sul principio che l'ostrica è la distanza più breve tra la tavola e il letto. In ogni caso bisogna evitare di mangiare crostacei con gente che ride facilmente perché può accadere, e assai di frequente, che l'animaletto mal digerito per via dei battibecchi tra coltelli e forchette, venga sparato nelle direzioni più inconvenienti, pavimento compreso. La risata da atto fallito è la negazione stessa dell'amore e di conseguenza suscita improvvise inappetenze, se non addirittura impotenze passeggere. La crema di crostacei risolve il problema, conservando la mitologia erotica ed eliminando il rischio dell'atto fallito. L'ostrica ha qualità analoghe, se ad aprirla è un professionista o un amico fidato.

Crépinettes (fagottini) di fegatelli di pollo

(Per 3 o 4 persone)
30 g di burro
6 fegatelli di pollo
2 generose cucchiaiate di vino vecchio
200 g di rete di maiale tagliata a quadri di 10 cm di lato
spinaci scottati in acqua bollente e scolati
sale, pepe, dragoncello tritato

Per il ripieno:
200 g di salsiccia
dragoncello tritato
scalogno tritato
albume d'uovo
sale e pepe

Marinare i fegatelli di pollo nel vino vecchio e nel pepe.
Mescolare in una terrina la salsiccia con il dragoncello, lo scalogno e l'albume d'uovo. Aggiungervi il liquido della marinata. Aggiustare di sale e pepe a piacimento.
Stendere su un piano i quadrati di rete di maiale. Sistemare al centro di ciascuno un po' di ripieno, posarvi sopra un fegatino di pollo avvolto in una foglia di spinacio e coprirlo con un altro po' di ripieno. Chiudere ogni fagottino con la rete e sistemarlo, con le pieghe rivolte verso il basso, in una pirofila da forno imburrata: dovrà cuocere nel forno a 180° per circa 10 minuti. A cottura ultimata levare i fagottini dalla pirofila. Deglassare il fondo della pirofila con un po' d'acqua e scaldare il sugo così ottenuto in un pentolino sul fornello, dove aggiungerete il burro che andrà sbattuto a fuoco molto lento.
Una volta legata la salsa, versarla sui fagottini cucinati al forno e cospargere il tutto con dragoncello tritato.

La *crépinette* è causa ed effetto di un sottile artigianato, un raffinato macramé al servizio del palato che la cucina francese coltivò, soprattutto la grande cucina regionale, ai tempi in cui il contenitore era gastronomicamente più importante degli ingredienti presentati, com'è regola in tutte le nuove cucine inventate o da inventare. La metafisica di questo piatto si basa per l'appunto sul volume e la consistenza cremosa della rete di maiale e sui sapori egemonici del fegato e del dragoncello, erba nata nelle Russie storiche che è riuscita a mantenere la propria universalità nonostante tutte le guerre fredde. Piatto da mangiare con una certa solennità. Ideale per festeggiare se non un anniversario, almeno qualche periodo di tempo condiviso e passato che la coppia voglia ricordare. In ogni caso sarebbe un eccesso di ostentazione festeggiare con questo piatto un incontro di poche ore o di pochi giorni. Tempo minimo: una settimana. Dopo essersi frequentata per una settimana, una coppia può convocare i suoi desideri confessati o segreti intorno al vapore sereno di questo piatto leggero, adatto a liberi professionisti con una certa capacità di protrarre i bocconi e i pasti, capacità oggi scomparsa in quasi tutte le professioni, persino in quelle libere. Non è piatto da proporre a coppie troppo giovani, perché di solito queste si divertono con commenti scherzosi sulle elaborazioni sofisticate, e potrebbero persino accennare alla possibilità di servire il fegato e gli spinaci separatamente.

Esistono esseri umani esperti in seduzioni che possono non far caso a osservazioni di questa indole, pur di finire a letto per la via più breve. Ma a chiunque sia provvisto di vergogna gastronomica si ammoscerà il desiderio nel sentire dal partner commenti gastronomici poco azzeccati. Consiglierei, come regola generale, di non stabilire associazioni tra gastronomia e sesso se non si hanno ancora venticinque anni. Prima di quest'età, tranne che in alcune degnissime eccezioni, il palato è ancora nella fase prelogica.

Misto di verdure all'indonesiana

(Per 4 persone)
2 scalogni
1 cucchiaino di sale
1 cucchiaino di terasi
2 cucchiai di olio vegetale
1/2 cucchiaio di peperoncino in polvere
60 g di carote, tagliate a bastoncini e poi divisi in quattro parti
60 g di cimette di cavolfiore
60 g di fagiolini tagliati in modo analogo alle carote
1 cucchiaino di salsa di soia densa
6 cucchiai d'acqua
60 g di germogli di soia
sale e pepe

Si pestano gli scalogni e il terasi in un mortaio e si friggono nell'olio in una padella grande. Il terasi è una pasta scura a base di gamberi, che può venir sostituita da due cucchiai di salsa d'ostriche o da due cucchiai di pâté di gamberetti. Si aggiunge il peperoncino, la carota, il cavolfiore e i fagiolini e si frigge il tutto a fuoco vivo per due minuti continuando a mescolare. Si aggiunge la salsa di soia e l'acqua e si copre la padella. Dopo 10 minuti si toglie il coperchio e si lascia cuocere per altri 2 minuti. Vi si mescolano i germogli di soia, e si aggiunge sale e pepe a piacere. Si continua a mescolare per 3 minuti e si serve molto caldo.

Gli olandesi hanno tradotto la cucina indonesiana in esperanto, senza che gli indonesiani abbiano mai detto "be". Una delle appropriazioni più crudeli compiute dagli imperi è quella della cucina del colonizzato: autentica estirpazione e saccheggio della memoria più intima e personale, quella del palato. Il *terasi* è qui un pezzo chiave. Viene adoperato come il *garum* nella reinventata cucina romana o come la salsa di pesce nella cucina del sud-est asiatico. *Terasi* è una parola in stato di grazia che stuzzica l'immaginazione erotica. Pochi spiriti riescono a difendersi quando sanno di mangiare qualcosa con *terasi*. Se qualcuno è ben disposto a mangiare un piatto di *terasi*, significa che è pronto a peccare. Le persone decenti e regolate non assaggiano mai il *terasi*.

Cibo ideale per incontri in cui uno dei due o dei tre (più di tre significa rovinare la situazione) sia hostess di volo o steward. Mi si potrebbe chiedere perché non includo i piloti: i piloti sono di solito animali più prepotenti che non hanno bisogno delle verdure miste all'indonesiana per attraversare la frontiera che separa la sala da pranzo dalla camera da letto. I piloti, uomini in fin dei conti, hanno le tasche gonfie di profumi sofisticati e di fazzoletti in seta pura. Sono in realtà cappelli a cilindro pieni di corruzione. Le hostess invece, e gli steward, erigono le loro architetture sessuali con gli umili mattoni delle loro memorie, gastronomiche e non.

Uova Bella Vita

(Per 1 persona che ha bisogno
di tirarsi su)
1 noce di burro
1 fetta di prosciutto crudo
piuttosto dolce
1 grossa cucchiaiata di zucchero
caramellato
1 grossa cucchiaiata di aceto
1 cucchiaino di pepe di Caienna
3 uova (minimo)

Friggere a fuoco vivo nel burro la fetta di prosciutto; aggiungere subito un cucchiaino di zucchero caramellato e un altro d'aceto, e mettere il tutto su un vassoio da forno. Rompere le uova sugli ingredienti e pepare abbondantemente. Tenere in forno fino alla perfetta cottura delle uova e servire immediatamente.

Nell'antichità si credeva che le uova fossero un ricettacolo di virilità e non sono tanto rozzo da parlare dei testicoli, ma delle uova in quanto molecola d'origine della vita. Sia di struzzo che di piccione, l'uovo è apparso tra i piatti arrapanti sin da quando l'uomo, stimolato dalla paura, divenne immaginativo, e trasformò ogni causa in un rimedio, così come un chiodo scaccia un altro chiodo e i veleni ammazzano i veleni. L'uovo, padre della vita, fecondità astratta e insieme concreta, divenne immaginazione sessuale, quello di struzzo come quello di storione. In questa nostra ricetta, il piatto ha il merito di mettere insieme uova e pepe di Caienna senza incorrere nella volgarità delle uova sode con peperoncino che vidi una volta in una stazione dell'entroterra spagnolo. Mi sembrarono uova impotenti e colleriche, come tutte le uova bollite, con il travestimento dell'irritato peperoncino.

Mole poblano [1]

1 guajolote [2] (tacchino)
225 g di chile mulato [2]
200 g di chile pasilla [2]
85 g di sesamo
115 g di mandorle
85 g di uva passa
85 g di arachidi
30 g di pane bianco
200 g di strutto

60 g di cioccolato
3 peperoncini chilpotles [2]
4 jitomates [2]
3 cipolle
6 spicchi d'aglio
1 tortilla
1 cucchiaio di semi d'anice
1 pezzetto di bastoncino di
cannella
60 g di sesamo tostato
in polvere
2 litri di brodo

Si taglia il tacchino a pezzi che si friggono nello strutto in una casseruola grande; a frittura avvenuta si aggiungono i chilpotles *che saranno stati previamente puliti e bolliti in acqua, impastandoli con i* jitomates *precedentemente scottati alla griglia; quando la salsa si è asciugata, aggiungere 1 litro di brodo e salare. Si puliscono i peperoncini, si scottano e si friggono nello strutto per farli leggermente imbiondire; l'anice e il sesamo vanno tostati in un* comal.[3] *Mandorle, arachidi, uva passa, pane,* tortilla *e spezie si friggono nello strutto; si mescolano ai peperoni, al sesamo, all'anice, alle cipolle e all'aglio. Il tutto viene diluito in 1 litro di brodo, si aggiunge il cioccolato e, quando è ben cotto, si unisce il* guajolote *e lo si lascia sul fuoco per farlo addensare a dovere. Si versa su un grosso vassoio e si spolvera con il sesamo tostato.*

[1] Il *mole poblano*, specie di ragù rustico così chiamato perché è d'obbligo pestare (*moler*) i diversi peperoni e pomodori in cui cuoce il tacchino.
[2] *Guajolote*, da *Huexolotl*, è il nome messicano di un certo tipo di tacchino.
Il *chile* è un peperoncino piccante:
il *chile mulato* è carnoso, lungo 15-20 cm circa, e di colore scuro;
il *chile pasilla* è rotondo e di color bruno rossastro;
il *chile chilpotle* è piccolo e rosso;
il *jitomate* è un pomodoro messicano rosso vivo.
[3] *Comal*: vassoio rotondo di terracotta, adoperato nel Messico come base per cucinare alla griglia.

Chi inventò questo *mole* fu una suora che aveva intenzione di accattivarsi il viceré spagnolo, ma non vi è dubbio che, nonostante la sua esplicita santità, la suora era stata aggredita nell'inconscio dai feroci denti del dio degli inferi precolombiano. È di zolfo che sa quest'eccellente salsa che accompagna qualsiasi cosa che l'affamato d'amore può ingollare a cucchiaiate, come alcuni santi illustri bevvero piombo fuso. È squisito e cioccolatoso piombo fuso, questo *mole poblano*, in grado di stuzzicare le zone più addormentate dell'uomo e della donna e di far accapponare la pelle, tutte le pelli, con conseguente alzabandiera del pene rampante in campo rosso, disposto, non tanto alle prodezze amorose, ma piuttosto a fuggire da un mondo dove i diavoli ispirano salse di piombo fuso alle sante monache.

Morteruelo
Terrina di carni speziate

1 *lepre*
1 *gallina*
1 *stinco di maiale*
fegato di maiale
strutto
3 tazze di pane grattato
6 o 7 noci
paprika, pepe in grani
chiodi di garofano, cannella
comino selvatico, sale

In una pentola o pignatta si fanno bollire la lepre, la gallina, il fegato e lo stinco di maiale con un po' di sale, appena coperti d'acqua. Quando le carni sono ben cotte (3 ore circa), si disossano togliendo pelle, nervi, eccetera, e serbando solo la carne pulita e magra. Si trita il tutto e si mescola insieme a 3 tazze di pane grattato. Si amalgama al liquido di cottura delle carni e del fegato, e si aggiunge lo strutto, il comino, la paprika, la cannella, il sale, i chiodi di garofano e il pepe macinato al momento. Si fa bollire molto lentamente fino a quando diventa denso e, poco prima di levarlo dal fuoco, si aggiungono le noci pestate. Il morteruelo *va conservato in un recipiente di terracotta, e coperto con uno strato di strutto.*

Ecco un piatto magico senza tempo né spazio definiti.
Nato in terre di Castiglia si adegua ai Tropici come alla Lapponia, a mezzogiorno come alle quattro del mattino. Questo intingolo geniale farà in futuro per il prestigio della Spagna più che mezza tonnellata di cervelli di spagnoli universali in esilio. È tuttavia un piatto che rende difficile la scelta del partner. Si addice senz'altro alle giapponesi, ma gli occidentali, in loro compagnia, dovranno rifiutare di mangiare accovacciati, posizione umana consigliabile soltanto per defecazioni difficili, poiché sarebbe un modo primitivo di godersi una delle intimità fondamentali degli esseri umani (stando accovacciati non è possibile né leggere, né ascoltare Vivaldi, perché lo sforzo perpendicolare del corpo è tale che tutti i vettori tendono verso l'ano, trascurando e quasi otturando i rimanenti orifizi del corpo e dell'anima). Personalmente penso che alcuni popoli primitivi mangino accovacciati per ragioni religiose e metafisiche, cercando così di avvicinare il cibo alla terra, che è dove andrà comunque a finire. Se non si trovano giapponesi disponibili bisogna cercare altre etnie esotiche, perché le europee di solito mangiano il *morteruelo* come se si trattasse di comune carne in scatola.

Ostriche alla Maryland

2 dozzine di ostriche
2 uova
1 cucchiaino di sale di sedano
pane grattato
100 g di burro
24 fette di pane
panna da cucina

Si affogano le ostriche senza le valve nella loro stessa acqua filtrata. Si sbatte un uovo insieme a un cucchiaio di acqua bollente e vi si aggiunge un cucchiaino di sale di sedano. Si passano le ostriche nell'uovo così preparato, si impanano, friggendole infine nel burro. Quando avranno acquistato un bel colore dorato, si servono su fette di pane bianco tostato. A parte si prepara una salsa composta da panna da cucina e sale di sedano.

Piatto per ex docenti di spagnolo di università nordamericane con qualche piccolo risparmio da parte, abbastanza per offrire ostriche come in un tango: "nella penombra noi due". Piatto capriccioso che può mangiarsi a un tavolo imbandito o con i corpi abbandonati al relax di una chaise-longue con molti cuscini, e che addirittura consente di imboccare l'altro, ostrica dopo ostrica, bacio dopo bacio, e adoperare la salsa di panna e sale di sedano come unguento per le zone fredde o come vaselina per le zone rigide. Se l'ex docente o la ex docente è molto razionale, gli si concedono due minuti di dissertazione sugli inconvenienti di un popolo pragmatico eppure schifiltoso che, incapace talvolta di accettare la nudità cruda dell'ostrica, la mette in un astuccio di farina e uovo per darle l'aspetto di una crocchetta. Piatto per coppie mature, non solo per il potere d'acquisto che richiede, ma soprattutto perché solo dopo i quarant'anni si è sufficientemente scettici sul piacere e la sua natura per sciupare due dozzine d'ostriche, e qui "sciupare" va inteso come la capacità di innalzare l'ostrica alla condizione di qualcos'altro che non si capisce bene cosa sia. Corpi saggi e robusti, quindi, attenti alla piccolezza dell'oggetto del desiderio: UFO impanati che potranno anche essere adoperati come le briciole, nella lingua di Pollicino, per andare o tornare seguendo il tragitto più lungo. Sarebbe inqualificabile come secondo piatto un *New York Steak Sirloin*. Molto meglio un baccalà al pil pil, glorioso nei suoi oli e gelatine.

Pane e pomodoro

pane
pomodori maturi
olio
sale

Fette di pane casereccio, con mollica, del giorno prima. Pomodori maturi tagliati a metà e sfregati sul pane dove lasciano i semi, l'acquetta e la polpa strappata alla pelle dalla ruvidità del pane. Sale ben distribuito: deve essere umido.
Un filo d'olio. Prendere ogni fetta di pane con le dita dalla parte della crosta, stringerla e lasciarla poi andare in modo che l'olio si sparga liberamente.

È indispensabile che tutti gli esseri e tutti i popoli saggi della terra capiscano che pane e pomodoro è un paesaggio fondamentale dell'alimentazione umana. Piatto peccaminoso per eccellenza perché comprende e semplifica il peccato rendendolo accessibile a chiunque. Piatto peccaminoso in quanto può significare un'alternativa a tutto ciò che è trascendente, a tutto ciò che è pericolosamente trascendente, se diventa cultura della negazione. Non fate la guerra ma pane e pomodoro. Non votate per la destra ma mangiate pane e pomodoro. No alla NATO e sì al pane e pomodoro. Ovunque e sempre.

Pane. Pomodoro. Olio. Sale.

E dopo l'amore, pane e pomodoro e un po' di salame.

Pane di Pasqua carnale

(Per 4 persone)
1 kg di carne trita di maiale
più magra che grassa
500 g di carne trita di vitello
1 cipolla tritata
300 g di pasta frolla
8 uova sode tagliate per la
lunghezza
1 uovo sbattuto
sale, pepe, prezzemolo tritato,
burro, una foglia di alloro
tritata, noce moscata

Mescolate su un tagliere le carni con il prezzemolo, la cipolla, il sale e il pepe. Prendete un terzo della pasta frolla e datele una forma ovale, disponendola al centro di una teglia da forno. Mettere nel mezzo della pasta la metà della farcitura e su questa disporre le uova tagliate e allineate, dopo averle spolverate di sale e noce moscata e imburrate abbondantemente.
Disporre quanto rimane della farcitura sulle uova e spolverare di alloro. Coprire il tutto con l'altro terzo della pasta, adattandola alla forma ovale della base e del ripieno. Con la terza parte della pasta si compongono decorazioni geometriche sul pasticcio. In seguito si spennella la superficie visibile con l'uovo sbattuto. Deve cuocere per 2 ore in un forno preriscaldato a 170°.

La Pasqua è una festa di recupero che suggerisce l'incontro di vecchi amanti, non in un ristorante, ma nell'appartamento di lui, dove ha preparato un pasticcio di carne con la malizia aggiunta dalla noce moscata. Non tutte le noci moscate sono uguali. Si conoscono addirittura ottanta varietà dell'albero da cui provengono, e gli esperti consigliano di adoperare la noce moscata femmina degli alberi selvatici, più piccola e più aromatica. Mantegazza, in *Igiene dell'amore*, esalta le virtù afrodisiache di questa specie, senza che la biochimica culinaria abbia mai osato andare oltre nell'attribuirle certe presunte proprietà diuretiche. Si tratta di argomento assai attinente, ma non è la stessa cosa, e non bisogna tenere in conto soltanto l'aroma nell'indicare le proprietà erotiche di un pasticcio adatto a una merenda intima annaffiata con Sauternes, vino indispensabile per i pasticci di carne, per il *foie gras* e i *pâtés*. Per quanto riguarda l'idoneità della coppia, che ciascuno risolva i propri impegni passati o recuperati, ma il referente ideale per un buon pane di Pasqua pieno di carni nobili e meno nobili richiede, innanzi tutto, una certa dose di adulterio. Conviene che almeno uno dei due sia maritato, mal maritato, e che l'incontro in quell'appartamento abbia il sentore del rischio, da isola pedonale per fuggiaschi, e che il pasticcio pasquale sia uno di quei nutrimenti nascosti di cui parlavano le canzoni dedicate a chiosare gli amori proibiti. *E il nutrimento nascosto con i tuoi baci e il mio pane.* Consiglio le bionde per questo genere di dialettiche, e così mi lascio forse condizionare dai filtri mitici della Spagna più grettamente tradizionale, celtiberica. Le brune mangiano di solito con più appetito mentre le bionde, almeno nei paesi di gente bruna, sono inappetenti nell'anima e negli occhi, un'inappetenza studiata ed eccitante.

In ogni caso, e tenuto conto della pluralità funzionale, nello spazio e nel tempo, di un pasticcio di carne accompagnato da un buon Sauternes, qualsiasi coppia potrà essere a lungo e ampiamente felice sotto il suo incantesimo. Astenersi invece dai triangoli e dai poligoni più complessi. A partire da due, l'unica gastronomia possibile è quella del pollo freddo e delle tartine.

Pâté caldo di funghi Maite

(Per 8 persone)
Per il pâté:
1 kg di funghi (porcini, o
gallinacci, o prataioli, o chiodini)
1/4 di litro di panna liquida
1/4 di litro di "demi-glace"
4 uova
1 dl di olio di oliva
1 cipolla piccola
100 g di burro
pane grattato
4 spicchi d'aglio
sale e pepe

Per la salsa:
1 kg di funghi (dello stesso tipo
utilizzato per il pâté)
100 g di burro
1 dl di olio di oliva
1 litro e 1/2 di brodo di verdure
1 dl di panna liquida
1 cipolla piccola
4 spicchi d'aglio
sale e pepe

In una casseruola, con un po' d'olio e la metà del burro, si fa soffriggere la cipolla tritata. Quando avrà acquistato un bel colore rosso-bruno si aggiungono i quattro spicchi d'aglio tritati. Una volta imbionditi, si mettono nella casseruola i funghi, tagliati a pezzi né troppo grandi né troppo piccoli, e conditi con sale e pepe. Quando i funghi sono cotti, si ritirano e si conservano a parte. In un altro recipiente – abbastanza grande per contenere il preparato – si sbattono bene le uova. Si aggiungono la panna, la "demi-glace" e, infine, i funghi. Si mescola bene il tutto con una schiumaiola, si condisce con sale e pepe e si mette in uno stampo rettangolare da un litro e mezzo, tipo pirofila, precedentemente imburrata e spolverata di pane grattato. Si pone lo stampo nel forno (a 225°), a bagnomaria, per due ore circa. Si controlla la cottura pungendo con un ferro da calza. Si toglie il pasticcio dal forno, si lascia raffreddare e si libera dallo stampo.

Preparazione della salsa:
In una casseruola, con dell'olio e la metà del burro, si fa soffriggere la cipolla tritata. Quando avrà preso un bel colore rosso bruno, si aggiungono i quattro spicchi d'aglio tritati. Una volta imbionditi, si mettono i funghi nella casseruola, tagliati a pezzi né troppo grandi né troppo piccoli, e si condiscono con sale e pepe. Quando i funghi sono cotti, si tritano e si setacciano. Si rimette il recipiente sul fuoco e vi si aggiunge il brodo di verdure, serbandone una parte, che se sarà necessario verrà aggiunta alla fine alla salsa lavorata. Si aggiunge la panna liquida e si fa bollire per un quarto d'ora. Si verifica il condimento e la consistenza della salsa.

Presentazione del piatto:
Si taglia il pasticcio in otto porzioni. Si scaldano al forno e si distribuiscono nei piatti. Si coprono con la salsa molto calda e legata con il burro rimasto. Si accompagna con un crostino di pane fritto, a forma di fungo.

Ricetta del re Arzac[1] che rinnova la vecchia ed eccellente mania dei Paesi Baschi e di Béarn, in Francia, di cucinare pasticci di funghi. Sul carattere peccaminoso dei funghi molto si è scritto e detto, per quel loro sembrare eruzioni dell'Averno e per i luoghi reconditi in cui spuntano. È delizioso che sia Maite, diminutivo spagnolo di Maria Teresa, ad andar per funghi, perché questa è una delle attività femminili che, nel corso della storia, ha con maggior frequenza messo a nudo l'arco ogivale dietro le ginocchia e le bianche fiammate delle cosce livide per la dentatura delle giarrettiere mentre la mutanda è circondata da carne da tutte le parti, tranne da una che si chiama istmo. Maite raccoglie funghi per un pâté caldo... Non si erano mai riunite tante carni e tanti luciferi per far peccare un piatto peccaminoso.

[1] *Arzac*: famoso ristoratore di San Sebastián, promotore della *Nouvelle Cuisine* basca.

Philadelphia Pepper-pot

1 sedano
4 porri
2 cipolle grosse
50 g di burro
100 g di pancetta
1 pomodoro
2 o 3 peperoni dolci piccoli
2 l di brodo
sale, pepe

Per la pastella:
3 cucchiai di farina
1 uovo
1 dl di latte
1 cucchiaio d'olio

Si soffriggono nel burro i gambi di sedano, la parte bianca dei porri e le cipolle tagliate "à la julienne", insieme ai dadini di pancetta. Si annaffia con 2 litri di brodo e si fa stufare il tutto per 1 ora, debitamente salato e pepato. Qualche minuto prima di servire si aggiungono i peperoni dolci tagliati a dadini e il pomodoro tagliato a fette rotonde. Si prepara a parte una pastella densa per crespelle e si versa sulla zuppa bollente, filtrandola con un colino. Si serve dopo averla sottoposta a leggero bollore.

Sull'origine di questa zuppa, nonostante se ne siano impadroniti i cittadini di Philadelphia, ci sarebbe molto da ridire, perché odora di zuppa francese, addensata e riscaldata dalla molta energia necessaria per consolidare il mercato interno, vale a dire, l'unità nazionale degli Stati Uniti d'America. Zuppa, quindi, che avrebbe fatto molto meditare Marx, sebbene di lui non si conoscano curiosità culinarie, suo fratello Groucho non andò mai oltre la zuppa d'anatra. Ecco qui una zuppa per festeggiare una borsista yankee dai capelli rossi, specializzatasi nell'uso dell'*argot* nella prosa dello scrittore madrileno Umbral, dopo averla sottoposta per quattro o cinque giorni a una *full immersion* di trippa piccante (*callos a la madrileña*, per l'appunto) e di quei manicaretti di lonza (*montados de lomo*) che servono in alcune *cafeterías* di Madrid, che sanno di serpente alla paprika. Al quarto o quinto giorno di folklore gastronomico, la ragazza, soprattutto se ha i capelli rossi e le tette triangolari, dritte e con la punta a bottone purpureo, ti sarà grata se in suo onore farai uno sforzo patriottico e le dirai di aver tratto le ricette da un libro di cucina inedito e inesistente di Emily Dickinson, poetessa scarsamente portata al cibo come indica la sua poesia o in costante schizofrenia da lingua bifida. Piatto che non vuole vini, caso mai una vodka ghiacciata per cominciare e per finire, a condizione – non indispensabile – che si conservi un fondo del piatto per ungervi le labbra prima del bacio iniziale, che consentirà di dire: "sa d'America" nel momento, proprio nel momento, in cui le parole cominciano a non avere più importanza. Dicano quello che dicano.

Polpa trita con lo zenzero

(Per 2 persone)
230 g di manzo tritato o di
avanzi di roast-beef poco cotto
6 scalogni o cipolle piccole
1/2 cucchiaino di noce moscata
grattugiata
4 pezzi di zenzero tritato o
cristallizzato
30 g di burro
2 cucchiai di salsa di pomodoro
riso bollito

*Si sbucciano e tagliano gli scalogni. Si scalda il burro in una cas-
seruola a fuoco lento e, quando la metà è fusa, si versano gli scalogni e si lasciano cuocere sempre a fuoco lento per 6 minuti. Si
aggiunge lo zenzero, la noce moscata e la salsa di pomodoro e si
fa cuocere il tutto per altri sette minuti, dopo aver condito con
sale e pepe a piacimento di uno dei commensali o di entrambi.
Si aggiunge il manzo tritato e si cuoce secondo i gusti. Questo
piatto si presenta in un vassoio con una guarnizione di riso bollito. Si serve a parte un'insalata verde condita con olio e aceto.*

Esistono amanti scarmigliati che non sanno dove sono andate a finire le pantofole, le mutande, gli slip e che ad ogni momento culminante hanno l'abitudine di domandare: "Che ora è?", oppure, "Come ti è sembrato Hernández Mancha?" [1]
Sono amanti dal corpo sformato, ma che ti baciano la terra sotto i piedi e ti serbano nella memoria e persino nel desiderio. Bisogna allora escogitare pranzetti veloci e ringraziarli per non aver scodellato uova sode, tumori bianchi delle galline, o per non averti imposto senza rispetto di andare al frigo "...a prendere una cosa qualsiasi". Vi prego di notare che il semplice fatto di cucinare carne trita, poco tritata, con lo zenzero, suppone già una certa fantasia, come accadde alla scimmia primitiva quel giorno felice in cui mise insieme due canne per raccogliere una guaiava dalla pianta, dando così origine alla meccanizzazione e alla politica di riconversione industriale del PSOE.[2] È quindi giusto che lo zenzero, pianta seminata in marzo e raccolta in estate, aromatizzi trucioli di bue, secondo la saggia deduzione di Nostradamus, che lo riteneva un vegetale indicato alle donne che, avendo l'utero freddo, non riuscivano a concepire. Il grande profeta di profezie inutili arrivò a dire: "...è indicato per gli stomaci troppo freddi e le persone anziane che sentono mancare le loro forze naturali. Ma è ancora più utile a quegli uomini che non riescono a compiere il loro dovere di natura". Uomini o donne, dovete compiere i doveri di natura anche se a tavola vi piacciono poco i trucioli animali. Se c'è lo zenzero vuol dire che sono stati preparati con amore. E se avrete davvero fretta di spogliarvi o di non perdere il treno, vuol dire che sono stati preparati con intelligenza.

[1] Uomo politico spagnolo, esponente di Alianza Popular, partito di estrema destra.
[2] Partito Socialista Obrero Español, Partito socialista operaio spagnolo.

Purè di tartufi

(Per 1 persona)
5-6 tartufi
1 bicchiere di vino di Madeira
1/2 tazza di besciamella molto
densa
pepe o peperoncino piccante
in polvere
sale, noce moscata
altre spezie, a piacere

Inumidire delicatamente in acqua fredda i tartufi crudi e spazzo-larli con cura. Dopo averli tagliati a fettine sottili, metterli in un bicchiere di vino di Madeira e aggiungervi 1/2 tazza di bescia-mella. Amalgamare. Aggiungere all'impasto le spezie desiderate, dal pepe di Cayenna alla noce moscata al peperoncino piccante. Scaldare il tutto – a fuoco moderato – in un pentolino: ritirarlo prima che giunga a ebollizione e servire molto caldo.

Facile come il più facile degli elisir e, tuttavia, ricco di storia. Il tartufo è presente in quasi tutti i banchetti che le regine superstiti organizzano per maritare le loro figlie o i loro figli. Un falso pudore ha fatto sì che il tartufo venga dissimulato fino quasi a negarlo, e quasi nessuna regina ha osato mettere in mostra l'oscenità di un elisir che sembra appena uscito da un mortaio satanico. Ma si dice anche che qualche regina disperata, come Elisabetta II di Inghilterra, si sia servita del purè di tartufi per maritare gli eredi più difficili e che questo sia stato il caso dell'attuale principe del Galles e di Lady Diana, sottoposta a una severa dieta di purè di tartufi ogni volta che sedeva al desco della famiglia reale.

Quei fortunati che si sono inchinati sulla scollatura privilegiata di Lady D assicurano che dalle sue penultime oscurità salgono gli effluvi di sedimenti tartufati.

Formaggio di capra alla griglia

(Per 6 persone)
6 piccoli formaggi di capra stagionati
1 cucchiaio di olio di oliva
pepe macinato al momento
pane tostato

Tagliare il formaggio a metà per ottenere dischi sottili. Spennellarli da entrambi i lati con olio di oliva e arrostirli alla brace o sotto la griglia del forno per 5 minuti. Servire con una spolverata di pepe insieme al pane tostato.

Ecco un piatto ideale per l'estate e per esseri umani imbottiti di filosofia sui cibi naturali e digeribili. Ideale per culturisti umanisti e per omosessuali maschi, anche se bisogna subito dopo prendere precauzioni, perché il sapore del formaggio di capra torna in bocca, ed è acerrimo nemico dei baci, anche di quelli più smaliziati.

Le lesbiche, tranne in pochi casi che non intendo spiegare, non sono amanti di cibi dove sia presente la capra e i suoi derivati, animale che disprezzano per la sua promiscuità maschilista e per i molti esempi, difficili da confutare, che dimostrano come la capra abbia tendenza a innamorarsi del capraio, e viceversa. In molti *relais*, durante la stagione estiva, è diventato di moda servire insalate con formaggio di capra fresco e tiepido. Non è la stessa cosa. Si tratta di un piatto opportunista per il quale non riesco a immaginare un futuro.

Il formaggio di capra alla griglia, invece, è un piatto di sostanza, abbastanza eclettico o sincretico da sopportare la dura prova di qualsiasi postmodernità.

Zuppa giamaicana

(Per 6 persone)
400 g di garretto di manzo,
tagliato a cubetti
1 coda di maiale
150 g di patate americane
sbucciate e tagliate a pezzettini
1/2 kg di spinaci tritati
1/2 kg di verze tritate
2 cipolle tritate
250 g di scampi o gamberi tritati
1 melanzana piccola tagliata a
pezzi, sbucciata
1 bicchierino di latte di cocco
1 peperoncino verde piccante
1 spicchio d'aglio pestato
timo e sale
2 litri d'acqua

Si mette l'acqua in una pentola insieme alle carni. Si fa bollire
per 2 ore. Si aggiunge la patata americana e si fa cuocere insieme
al resto. Cuocere a parte, al vapore, le verdure, con il timo e l'a-
glio, e unire alla zuppa. Si condisce col peperoncino a seconda
dei gusti e, quando la zuppa comincia ad addensarsi, si aggiungono gli scampi e il latte di cocco. Tenere per 5 minuti sul fuoco
e servire.

Il garretto di manzo è un frutto carnale pieno di morbide gèlatine impreviste, soprattutto se si riesce a cucinare molto bene la carne che raggiunge così uno stato di transustanziazione che la voce popolare ha saputo esprimere dicendo: "è un burro". La zuppa giamaicana, di per sé un pericoloso intruglio pieno di africanità e tropici, ha la sua chiave dialettica nel bicchierino di latte di cocco, in apparenza innocente, che ecciterà immancabilmente la fantasia dei commensali, perché è latte e per di più di noce di cocco: ogni latte [1] proviene infatti da zone intrinsecamente erotiche ed erogene e la noce di cocco è simbolo di fecondità orgasmica che associa tutte le idee del piacere offerto. Piatto molto indicato per coppie omosessuali, normalmente assai inclini all'unione degli estremi, in questo caso rappresentata dalla coda di maiale e dagli scampi. È il caso di notare che sia la coda di maiale che gli scampi sgusciati sembrano peni saturnali in miniatura, eppure contortamente protesi verso la voglia e il suo appagamento. Se la coppia invece di essere omosessuale è ligia ai canoni dell'eterosessualità, il piatto sarà particolarmente adatto alle possibilità di comunicazione sessuale dei nordici minori, vale a dire, della zona tra la Danimarca e la Baviera SENZA INCLUDERE la Baviera ma includendo l'Olanda. Sono stato quasi sul punto di sostenere che è un piatto afrodisiaco di precetto per gli olandesi, e in particolare per quelle splendide signore olandesi trentenni, coi seni rosa e i fianchi come un orizzonte. Gli olandesi sono entusiasti di tutto ciò che è giamaicano perché lo immaginano fatto di carni nere e lucide. Rifiutano invece il nero senegalese ritenendolo torbido, per non parlare poi del nero del Ciad, tanto polveroso per via della siccità e del deserto da sembrare un colore malato di mitosi cronica. Come sempre accade, la sazietà causata dalle zuppe svanisce presto e l'appetito susseguente alle fatiche sessuali dovrà venir placato da galletti arrostiti da mangiare freddi, se possibile aromatizzati con spezie del tipo adoperato dai marocchini per i loro cuscus.

---

[1] In spagnolo *leche* (latte) sta anche per sperma.

Zuppa tenebrosa

Le rigaglie e il sangue di 1 oca
1 litro e 1/2 di brodo di manzo
30 g di farina
200 g di prugne secche
500 g di mele
100 g di zucchero
1 cucchiaio di sale
12 grani di pepe
4 chiodi di garofano
1 pizzico di chiodo di garofano
in polvere
1 cucchiaio di zenzero in polvere
burro

Dopo aver pulito e tagliato a pezzi le rigaglie, metterle in una pentola con 1 litro di acqua fredda. Portare a bollore e schiumare, dopo aver abbassato il fuoco. Si aggiungono poi il sale, il pepe e i chiodi di garofano in polvere. Coprire e far bollire a fuoco lento per un'ora e mezza. A parte, si mettono le prugne in una pentola di acqua fredda, e si fanno bollire, sempre a fuoco lento, portandole a cottura. Si scolano e nella stessa acqua si fanno bollire le mele tagliate a rondelle. Quando saranno cotte, levarle e conservare il liquido di cottura. Togliere dal fuoco le rigaglie e tenerle da parte. Far evaporare un po' di brodo. Battere poi il sangue con la farina e aggiungere 1 dl di brodo di manzo. Far riposare per 1 ora. Aggiungere poi il rimanente brodo di manzo, quello delle rigaglie, quello della frutta e portarlo a bollitura. Levare la pentola dal fuoco e aggiungere il miscuglio di sangue-farina-brodo. Rimetterlo sul fuoco e farlo cuocere per altri 10 minuti rimestando di continuo. Speziare con lo zenzero. Aggiungere le rigaglie e la frutta. All'ultimo momento si aggiunge il burro dando un'ulteriore rimescolata. Servire molto caldo.

Nelle profonde notti svedesi, gli svedesi – per natura – hanno l'abitudine di gustare la *zuppa tenebrosa*, a metà strada tra la gastronomia e la messa nera. Questa zuppa è il fluido stesso del vigore angelico e satanico, il bene e il male simboleggiati nel sapore bifronte del sangue e delle prugne. Piatto medievale allora assai costoso perché le spezie giungevano dall'origine del sole a porre raggi di luce nelle tenebre interne dei vichinghi. È indispensabile spartire questo piatto con una compagna bianca nel caso che il lettore sia un bipede maschio eterosessuale. Se si tratta di un bipede femmina eterosessuale è raccomandabile un partner bianco muscoloso e biondo. I partner bianchi, bianchissimi, se sono uomini devono essere muscolosi, perché quelli flaccidi fanno un po' schifo: con qualsiasi menù.
Anche gli omosessuali possono adeguarsi a queste indicazioni per tuffarsi in un pericoloso oblio.

Spaghetti alla Checca arrabbiata

(Per 5 persone)
500 g di spaghetti
1 testa d'aglio
4 o 5 peperoncini secchi piccanti, piccoli
1 pomodoro fresco schiacciato
erbe aromatiche, soprattutto origano
sale, pepe, formaggio grattugiato
olio di oliva

Cuocere gli spaghetti e scolarli. Nel frattempo soffriggere in olio caldo i peperoncini, l'aglio e, molto leggermente, anche il pomodoro, che deve essere poco più che scottato. Condire gli spaghetti con il pepe e le erbe aromatiche. Ricoprirli con la salsa così preparata in una padella molto calda, e mescolare il tutto con un po' di formaggio grattugiato. È indispensabile che il pomodoro venga appena appena scottato.

Questo piatto maschilista, universalizzato da Ugo Tognazzi, non deve venir letto, vale a dire interpretato, come piatto eccitante per via del suo nome, della sua origine o dei suoi legami culturali. A quanto pare fu inventato da un omosessuale incavolato con l'amico, a cui volle far conoscere il fuoco dell'inferno nascosto dagli spaghetti. Può darsi che l'inventore abbia calcato la mano con le dosi di peperoncino, ma la ricetta ingentilita da Tognazzi è diventata una squisita dimostrazione che, con la pasta, qualsiasi ingrediente raggiunge un risultato magico di autentica mutazione qualitativa.

Si tratta comunque di un piatto pieno di freschezza (pomodoro quasi crudo, erbe) e di aggressione, come eccitanti morsi al palato (il peperoncino e l'aglio).

Delizioso piatto estivo da mangiarsi con pochi indumenti addosso. Una di quelle ghiottonerie che gli umani possono mangiare in costume da bagno senza nemmeno la canottiera. Mangiare nudi, tranne alcune eccezioni, è volgarità che andrebbe punita con l'autopsia del trasgressore per mettere allo scoperto i canali segreti attraverso i quali il cibo, da anima, si trasforma in corpo.

Taramà

250 g di bottarga (uova
affumicate di muggine, di
merluzzo o di tonno)
2 fette di pane
1 tuorlo d'uovo
1 bicchiere di olio di oliva
sale, pepe, aceto, succo di limone
2 tazze di latte

Si sbriciola il pane nel latte e lo si amalgama alla bottarga pestandoli nel mortaio insieme al sale, il pepe, il tuorlo d'uovo, 1 tazza di latte, una cucchiaiata di aceto e il succo di limone. Vi si versa a poco a poco l'olio, lavorando il tutto come per fare una maionese, e si continua sino a quando l'impasto non acquista un'analoga consistenza.

Un bel nome al servizio di un piatto ambiguo: salsa, antipasto, insalata? La paternità è dei greci, padri terribili che talvolta fottono questa delicata emulsione con rancido purè di patate e la chiamano *taramasalata*. Ma nel suo stato vergine, la taramà è una delicatezza rosea spalmabile sul pane più rustico della terra o su fette di pane a cassetta per ottenere tartine di vellutata spuma per labbra propizie, labbra di un rosso naturale, rosso di sangue ben riuscito. Si consiglia di preparare la taramà prima di fare l'amore, ma in presenza del partner, perché la taramà, come tutti i piatti preparati nel mortaio, esige il tam tam degli incantesimi, e pretende, persino, sortilegi poco ostentati: basterà forse canticchiare *O Perigal* di Theodorakis ed Elitis, mentre la partner si toglie quanto indossa sopra il reggicalze. Gli ebrei di Parigi riescono a ottenere una taramà bianca, deliziosa, praparata senza dubbio con uova di pesci trasparenti.

La tentazione di Jansson

(Per 4 o 6 persone)
7 patate tagliate a bastoncino
da 5 cm di lunghezza e 5 mm
di spessore
75 g di burro
2 cucchiai d'olio
2 o 3 cipolle medie, gialle,
tagliate a rondelle sottili
16 filetti di acciuga dissalati
pepe bianco
2 cucchiai di pane grattato
finemente
10 cl di latte
25 cl di panna da cucina densa

Preriscaldare il forno a 200°. Immergere le patate, tagliate a bastoncino, in acqua fresca perché non anneriscano. In una padella sciogliere 30 g di burro insieme all'olio, aggiungere le cipolle e soffriggerle per 10 minuti, mescolando sino a quando diventano morbide, senza imbiondire. Imburrare una pirofila. Sgocciolare le patate e asciugarle con un panno. Collocare uno strato di patate nella pirofila e su questo alternare strati di cipolle, acciughe e patate, spolverando ogni strato con pepe bianco. L'ultimo strato dev'essere di patate. Si cosparge di pane grattato e si distribuisce il burro rimasto, tagliato a pezzettini. In un pentolino si scaldano il latte e la panna da cucina fino al primo bollore. Si versa quindi lungo i bordi nella pirofila che si lascia al centro del forno per 45 minuti, fino a quando le patate avranno assorbito il liquido.

Ignoro chi fosse il Jansson della ricetta, anche se tutto porta a indicare che si trattasse di uno scandinavo, poiché trovo il piatto elencato nel capitolo "Scandinavia" di *Foods of the World* edito da Time-Life. I portoghesi preparano un piatto assai simile con il baccalà, e qualcosa di analogo ottengono i siciliani con le sardine, ma non è male questa fantasia di pesce salato ideata da un nordico, qualcosa come una camicia da notte gastronomica con finestrino, doppiamente perversa in una terra famosa per aver reso normale la nudità.

Non esiste pasto più nudo di un'aringa o un'acciuga salata. Cucinare a loro spese è uno straordinario esercizio di sofisticazione e bisogna immaginare che questo piatto sia nato per tentare Jansson o perché Jansson tenti il prossimo. Pasto invernale da entroterra, dove si sa apprezzare il pesce mummificato e rinato per opera e grazia dell'alchimia culinaria, pur rimanendo assai lontano dallo splendore di quanto si può cucinare a spese del baccalà, pesce due volte morto, re dei mari morti che resuscita nelle pentole con la forza di un Messia. La tentazione di Jansson vanta a proprio favore il nome, con il significato di filtro amoroso che può eccitare le immaginazioni più marmoree. Raccomandabile per pelli bianche e carni fredde, perché i pesci salati di solito scuriscono i sessi e li rendono salati, senza che nessun endocrinologo, per fortuna, sia mai riuscito a spiegarsi la ragione.

Terrina di tacchino con le olive

(Per 1 chilo)
400 g di petto di tacchino (150 g tritato e il resto a striscioline)
2 uova
2 cucchiai di latte
125 g di mollica di pane fresco
sale e pepe
spezie di quattro tipi (zenzero, chiodi di garofano, cannella e noce moscata)
2 cucchiai di cognac
2 cucchiai di prezzemolo tritato
3 cucchiai di cipolla tritata
1 spicchio d'aglio spezzettato
1 salsiccia
1 fetta da 500 g di pancetta grassa, o lardo
125 g di olive nere snocciolate e tagliate in quattro
1 rametto di timo
1 foglia di alloro

Con un frullatore preparate un purè di uova, latte, pane, sale, pepe, un pizzico di ciascuna delle quattro spezie, il cognac, il prezzemolo, la cipolla e l'aglio. In una scodella amalgamate quest'impasto al tacchino tritato e alla salsiccia. Stendete sul fondo di una terrina la maggior parte della fetta di pancetta grassa o di lardo e copritela con la metà del ripieno tritato, sistemandovi sopra uno strato di listarelle di tacchino e pezzi di oliva. Coprite con il rimanente ripieno che a sua volta verrà coperto dai pezzetti della fetta di pancetta che si sarà tenuta da parte e poi tagliata, dal timo e dalla foglia d'alloro. Mettete un coperchio alla terrina e cuocete il tutto a bagnomaria in un forno preriscaldato a 180°. Deve cuocere per circa 1 ora e mezza. Servire il giorno dopo.

Come ogni piatto provocatoriamente calorico destinato, in futuro, a venir consumato in lussuosi ristoranti speciali per oziosi e suicidi, le terrine in cui intervengono animali solidi come il maiale e la sua pancetta vanno proposte a coppie magre o poco influenzate dal razzismo imperante contro gli obesi. Eccellente proposta per gente con radici, perché l'eufonia della parola terrina ha più significazioni familiari della stessa parola Nescafé, per esempio, per quanto i pubblicitari si ostinino a spiegarci che il Nescafé ha sapore d'infanzia. C'è da chiedersi quale infanzia abbiano vissuto i pubblicitari. Le terrine si addicono a donne lussuosamente impacchettate, con un soave profumo di Rochas, e le spalle alte anche se rotonde, perché alle donne con le spalle ossute ciò che calza a pennello è il goulash, per esempio, o uno qualsiasi di quei piatti con cui si può trastullare la forchetta senza nemmeno l'aiuto del coltello. Le spalle appuntite sono il risultato di braccia displicenti, a servizio di psicologie in apparenza discontinue. Ma attenzione alle apparenze: non c'è condotta umana senza teatro e coi tempi che corrono l'Actor's Studio caccia il naso ovunque. La terapia male si adatta alle coppie troppo influenzate da questa scuola. La terrina di tacchino alle olive sarebbe molto indicata, per esempio, a una gamma di donne che sta tra María Casares e Delphine Seyrig come limite estremo, soprattutto in quegli scarsi periodi in cui la Seyrig ha messo su un filo di ciccia.

Tiatraounga Annamita

500 g di filetto di maiale
200 g di champignon
1 cucchiaio di scalogno tritato
2 peperoni tagliati a listarelle
un pizzico di pepe di Caienna
100 g di gamberetti grigi
sgusciati
2 dozzine di cozze lessate
strutto (o olio di semi)
basilico, menta, salvia
e peperoncino in polvere
sale
6 uova

Si tagliano a dadini il maiale e gli champignon, si rosolano nello strutto o in olio di semi insieme allo scalogno, ai peperoni e al pepe di Caienna. Si cuoce il tutto a fuoco lento per un quarto d'ora, si aggiungono poi i gamberetti sgusciati e puliti, le cozze lessate, il basilico e le altre erbe aromatiche. Salare e pepare. Far bollire per 5 minuti e poi lasciar raffreddare. Si rompono e si sbattono le uova, si salano e si pepano, aggiungendovi la mistura precedente, e si fanno diverse frittatine che verranno servite con del riso bollito o, se si preferisce, con riso tre delizie.

Ecco qui un manicaretto che richiede un'antica complicità, oppure che uno dei partner sia vietnamita. Antica complicità che favorisca la fiducia riposta in un piatto appartenente a una cucina nota soltanto ai francesi e ai vietnamiti, naturalmente. Se si propone un piatto giapponese, si dà subito per inteso che almeno uno dei due intenda trasformarsi in un atleta sessuale giapponese, ma non si conoscono atleti sessuali annamiti, anche se da vecchia data ci giunge la fama della leggerezza di monta e la motilità sublime delle appendici, appendici di ogni tipo, dei piccoli uomini del sud-est asiatico. Durante il pasto si può citare un poeta orientale di altri tempi che abbia lodato il piatto, particolare colto che quasi nessuno sarà in grado di controllare. Sono assai eloquenti i versi di Nyang Pot Troueng, poeta del XVIII secolo, che scrisse sul Tiatraounga:

Nascondi il nutrimento nell'anima dell'uovo
lascia che fluiscano le acque del Mekong
come fluiscono lisci i tuoi capelli
simili a una sorgente di inutili idee
il tiatraounga nasconde i desideri
come gli occhi chiusi nascondono
l'umidore dei sessi.

Qualcuno sosterrà che questa notevole ricetta non è altro che una frittata campagnola più o meno asiatica. Speriamo che non sia tale il commento del partner, perché un pasto che inizia dubitando della poetica dei nomi non può concludersi con piaceri superiori. Il tiatraounga è il tiatraounga e la frittata campagnola è la frittata campagnola. Si può mangiare un tiatraounga a lume di candela, quando la frittata campagnola merita poco più del neon o della agrorossa o dolceazzurra illuminazione di un bar equivoco dell'hinterland, con cameriere dai facili costumi.

Fave, spalle e angolini nascosti

È possibile che qualcuno si domandi cos'abbiano a che vedere le fave o la *faba asturiana* (che fava non è, ma fagiolo) in un capitolo soprattutto carnale, in cui predominano le spalle, siano o no di Wanda, e le frattaglie. Così come sostengo che il baccalà non è né carne né pesce, bensì mummia miracolosamente resuscitata dall'alchimia culinaria, ritengo che la fava sia materia gastronomica sessuale di primaria importanza, e non per il suo aspetto, ma piuttosto per l'oscuro sapore che genera, anche quando la formula è tanto semplice e priva di calorie come nelle *fave alla santoreggia*. Sappiamo che i piselli sono legumi innocenti che non hanno mai suscitato passioni, né grandi né piccole; le fave sono invece un eccesso osceno che predispone a superare norme noiose e stupide. Spiegata quindi la coesistenza delle fave con la spalla alla Wanda, devo aggiungere che gli angoli e gli anfratti delle bestie hanno importanza non solo nelle cucine erotiche dei paesi sessualmente sottosviluppati sopravvissuti grazie al voyeurismo minore (pieghe dietro il ginocchio, ascelle, scollature, polpacci). Anche gli antichi avevano creduto che le parti delle bestie che sono pieghe nascoste diventano cibo peccaminoso e squisito, per lo stretto rapporto che sempre c'è stato, c'è e ci sarà, tra oscurità e piacere. Chi non crede a quel che dico, cerchi pure di sperimentare *le baiser florentin* sotto la lampada di una sala operatoria o, sempre sotto quella luce, di godersi una *fricassea di piedini di maiale*. Fiasco garantito.

Calalù

(Per 8 persone)
300 g di carne di vacca (o, in sua mancanza, di manzo)
300 g di agnello
300 g di maiale
1 pollo di media grossezza
200 g di gamberi grigi (meglio se affumicati)
200 g di pomodori
200 g di spinaci
1 cucchiaino di paprika in polvere
2 dl di olio (possibilmente di palma)
sale

Le carni, tagliate a grossi dadi, vengono messe in pentola insieme al pollo tagliato allo stesso modo. Si aggiungono i gamberi, i pomodori tagliati a pezzi e gli spinaci. Condire generosamente poi con sale e peperoncino, annaffiare con olio abbondante e coprire d'acqua. Lasciar cuocere per 4 ore, a fuoco lento, per evitare che si attacchi.
La cottura sarà ultimata quando la carne del pollo si staccherà facilmente dalle ossa.

Piatto africano, e precisamente del Dahomey, a cui gli europei attribuiscono origini magiche, e che somiglia moltissimo ai *platillos* [1] dell'Ampurdán in un gruviera di intenzioni. Piatto ideale per una cena di "amour fou" con la moglie di un libero professionista benestante, di quelle che si iscrivono a qualche corso quando il figlio più piccolo comincia a frequentare le superiori. È probabile che la signora abbia visitato l'Africa in occasione di un safari fotografico che risolse la crisi matrimoniale del 1969 (anno di punta per le crisi matrimoniali come conseguenza del Maggio francese). Ma si può star certi che non abbia mai assaggiato il Calalù perché appartiene a quel tipo di persone convinte che di stufato ce n'è uno solo.

Da accompagnarsi con champagne molto freddo. Si verserà parte del liquido dorato sulle zone dell'altro che ci si accingerà ad assaggiare.

[1] *Platillos*, particolare ragù al pomodoro della regione dell'Ampurdán, nel nord della Catalogna.

Cappone
al Cava brut [1]

1 cappone di 1 chilo e 1/2
100 g di burro
1 cipolla
1 scalogno
1/2 litro di Cava brut
1 dl di brodo di pollo
panna da cucina
50 g di pancetta (tipo bacon)
pepe
sale

Si taglia la pancetta a dadini, si sbucciano la cipolla e lo scalogno e si tagliano a rondelle sottili. Pulire, lavare e asciugare il cappone. Condirlo all'interno e all'esterno con sale e pepe. Sciogliere il burro nella casseruola, imbiondire la pancetta e il cappone. Coprire la casseruola, lasciar cuocere il tutto per 10 minuti e aggiungere la cipolla e lo scalogno. Versarvi il Cava e alzare il fuoco portando il tutto a bollore. Si copre allora la casseruola e si abbassa il fuoco al minimo, lasciando cuocere per 1 ora. Si ritira il cappone. Si versa il brodo di pollo nella casseruola e si fa sobbollire affinché assorba il grasso del cappone. Si spegne il fuoco e si aggiunge la panna. Si taglia a pezzi il cappone, lo si sistema su un vassoio e si serve la salsa a parte.

[1] *Cava*: denominazione catalana dello "spumante".

74

Chi sia cresciuto all'ombra del mito che il piacere supremo si raggiunge soltanto con *femmine e champagne*, potrà anche rinunciare a questo piatto, non molto diverso da una cena comprata all'ultimo minuto in una buona rosticceria. Cibo quindi per mitomani, biondi o bruni, grassi o magri, sebbene la legge dei contrasti indichi che il *Cava* e lo *champagne* si sposano meglio ai corpi bruni e asciutti. È inoltre indispensabile una certa cultura del palato e un certo patriottismo, non necessariamente catalano, per sapere che il *Cava* è il *cava* e non un Roederer Cristal sufficientemente invecchiato, ma non troppo. Penso che si tratti quasi di un piatto assai erotico per coniugi catalani che festeggino le nozze d'argento, proposta d'identificazione che lascio aperta a Jordi Pujol, presidente della Generalitat Catalana, che può adoperarla a piacimento in un suo intervento al club Siglo XXI. Ma coi tempi che corrono di culture senza frontiere, il *Cappone al Cava brut* si trova alla portata di tutti i gruppi etnici, compreso quello della Rioja, a condizione che non aggiungano al piatto salame con peperoncino: in tal caso potranno adoperare persino uno dei loro notevoli *cava*. E cito la gente della Rioja, anche se la loro cucina sembra lontanissima dalla sofisticazione dorata del *cava*, ricorrendo di nuovo alla legge dei contrasti, proprio perché in un letto della Rioja, dove giacciano cittadini autoctoni che abbiano mangiato le loro patate con salame al peperoncino e assaggiato un pezzetto di cappone al *cava*, può accadere proprio di tutto, un tutto sempre magnifico. Persino quel salto attribuito alla tigre senza che mai, e dico mai, sia stata vista una tigre nell'atto di compierlo.

Maialina da latte Pibil

1 maialina di latte di circa
4 chili
24 peperoni dolci
15 semi di comino
12 spicchi d'aglio
1 cucchiaio di origano
8 arance aspre
1 cucchiaio di bixa orellana
(achiote)
2 foglie di banano

Morta la maialina, la si passa su un fuoco vivo per bruciare le setole, la si immerge in acqua bollente e la si raschia accuratamente, fino a quando diventa del tutto bianca; si eliminano le interiora, si praticano taglietti un po' ovunque e si cosparge di succo d'arancio e sale. Si impastano gli spicchi d'aglio arrostiti insieme alle spezie, alla bixa orellana e al sale; si mescola il tutto al succo di arancia e con quest'impasto si insaporisce la maialina dentro e fuori, tenendo poi l'animaletto in luogo fresco per ventiquattro ore. In seguito, si fodera una pentola grossa con una foglia di banano, si mette in questa pentola la maialina con tutto il condimento e si copre con l'altra foglia di banano, dopodiché si mette il tutto nel "pibe", come chiamano nello Yucatán il forno per arrosto, che si prepara come segue: si scava un buco per terra, profondo 1,20 m circa, dove si mettono del carbone acceso, grosse pietre e legna fino a riempirlo. Quando rimangono soltanto braci che hanno smesso di fumare, vi si colloca in mezzo la pentola, si copre con foglie d'agave e si riempie il buco con la terra già scavata. Dopo 3 ore è pronto. Quando non è possibile costruire un forno di questo tipo, si cucina in un forno a legna, o in forno normale.

Che sia una maialina e non un maialino ha un suo senso, perché si tratta di un *piatto-bolero* che richiede lume di candela e che si canti sottovoce: "maialina come te... come te...", mentre le labbra si avvicinano piene di fuoco, di fuoco di peperoni, mentre le arance aspre raggiungono i pozzi profondi da cui faranno ritorno per riempire il sapore dell'ultimo bacio. Piatto amoroso, quindi, per coppie grassottelle o per magri non razzisti, specie quasi estinta, perché i magri sono diventati assai spavaldi nel mondo del prêt à porter. Questo piatto si addice a donne brune e uomini biondi con barba fitta, anche se non bisogna cadere nel peccato dell'esclusione, ma piuttosto essere aperti al rischio della sperimentazione con altre razze.

Spalla di vitella Wanda

1 chilo e mezzo di spalla
di vitella
1 bicchierino di vodka
200 g di prosciutto cotto
2 formaggini freschi (tipo
Petit Suisse)
2 uova
120 g di champignon
1 tazza di latte
prezzemolo e scalogno tritati
1 confezione di foie-gras
50 g di burro
3 cucchiai di olio
1 tazzina di panna da cucina
sale, pepe e noce moscata
1 tazzone di brodo

Pulire gli champignon e, dopo averli affettati, soffriggerli nel burro. Tagliare il prosciutto cotto a dadini. Versare il tutto in una scodella amalgamando poi i formaggini, le uova e il foie-gras insieme allo scalogno e al prezzemolo tritati. Condire con sale, pepe e noce moscata. Aggiungere qualche goccia di vodka e mescolare l'impasto. La spalla, previamente disossata, si spiana con cura e si riempie con la farcitura preparata in precedenza, legandola poi come si usa per questo taglio di carne. Va messa in una casseruola e lasciata cuocere nel burro e nell'olio per 50 minuti circa, bagnandola di tanto in tanto con un po' di brodo. Quando sarà ben cotta, collocare la spalla su un vassoio, diluire il liquido di cottura con la vodka rimasta e con la panna da cucina e servire a parte quest'intingolo in una salsiera.

Abbiamo qui un piatto disorientato che i coniugi Buxò Montesinos e Viviàn Fages [1] attribuiscono ai russi, vale a dire all'Unione Sovietica, anche se è difficile identificare così un piatto che richiede il Petit Suisse. Penso si tratti piuttosto di un piatto da laboratorio culinario ducale, precedente la rivoluzione d'Ottobre, o da ristoranti di "russi bianchi" emigrati a Parigi. In ogni caso un piatto con un nome come *Spalla di vitella Wanda* merita di sopravvivere ed è proprio il nome a fornire un buon cinquanta per cento dell'attrezzatura da seduzione, sin da quando l'invitato passa sopra il piatto caldo e calorico una mano tiepida per posarla su quella dell'anfitrione e domanda: "Chi è Wanda?". Wanda e la sua spalla sulla tovaglia e nella penombra. Un argomento di conversazione nei pressi di alcove profumate da soavi incensi. La vitella è il meno.

[1] Autori di un trattato di cucina internazionale.

Fabada asturiana

fabes (*fagioli grossi e bianchi*)
chorizo (*salame alla paprika
e peperoncino piccante*)
prosciutto
lacón (*prosciutto di spalla*)
pancetta
morcilla (*sanguinaccio*) asturiana
codino di maiale
alcuni pistilli di zafferano

Si mettono a bagno i fagioli e, in acqua, a parte, si mettono a dissalare il prosciutto e la pancetta. Il giorno dopo si mettono i fagioli in una pentola o casseruola, con tutti gli ingredienti (tranne lo zafferano e il sale) e si fanno cuocere molto lentamente. A metà cottura si aggiungono alcuni pistilli di zafferano pestati e si continua la cottura fino a quando i fagioli diventano molto morbidi e succosi. È consigliabile non mescolare con il cucchiaio, ma agitare la pentola stessa tenendola per i manici. Il sale viene aggiunto all'ultimo momento, in quanto spesso non ce n'è bisogno perché gli ingredienti sono molto saporiti di per sé. La cottura richiede da 2 a 3 ore, a fuoco molto basso e con la pentola scoperchiata a metà. Il piatto non deve essere troppo brodoso.

Se si vuole che la *fabada* faccia da anticamera a un pomeriggio glorioso così a letto come in cielo, bisogna partire da un'inevitabile premessa: la *fabada* non è l'anticamera di una sveltina bensì di un pomeriggio lungo e ampio con salite e discese dalle vette dell'urlo ai pozzi della sonnolenza. Difendo il carattere afrodisiaco della *fabada asturiana* come difendo, per analoghi motivi, le fave alla catalana. È un piatto calorico pieno di texture stimolanti che vanno dalla morbidezza gelatinosa delle pancette alla durezza ben cotta del prosciutto, passando per le aggressive spezie degli insaccati. Al margine di altre differenze fondamentali, il sanguinaccio adoperato conferisce la sfumatura fondamentale che distingue la *fabada* da ogni altro piatto di fagioli. La *morcilla asturiana* tinge di sapore d'inguine un piatto dalla bellezza brutale, invece il sanguinaccio catalano (*butifarra negra*) civilizza il ritmo dell'aggressione al piatto come civilizzerà poi le ondate di desiderio.

Propongo, senza dogmatizzare, di mangiare questo piatto insieme a signore bianche, bionde, magre ma con un culo sostanzioso. Il lettore femmina può cambiare liberamente questo modello, ma senza prescindere dai quattro punti di riferimento. Forse le conviene fare a meno del culo sostanzioso, perché gli uomini con molto culo sembrano sempre reduci da un disastro ecologico.

Fricassea di piedini di maiale

(Per 4 persone)
4 piedini di maiale bolliti,
disossati e tagliati a pezzetti
125 g di pancetta fresca
2 cipolle tritate finemente
30 g di burro

Condimenti:
sale, pepe, miscela di spezie
(per esempio, la tipica miscela
marocchina)
1 bicchiere di brodo o del
liquido di cottura dei piedini
senape, succo di limone, aceto
bianco

Condire i piedini con sale, pepe, e la miscela di spezie. In una padella far sciogliere il burro e saltarvi la pancetta tagliata a pezzetti sino a farla imbiondire. Si aggiungono allora i piedini e la cipolla tritata. Si versa il brodo sulle carni inzuppandole bene; il tutto va lasciato sul fuoco fino a ebollizione. Si mescolano a parte la senape, il succo di limone e l'aceto. Togliere la casseruola dal fuoco e aggiungervi la senape diluita.
Il piatto va servito molto caldo.

Piatto da autunno freddo o da inverno, per coppie poco influenzate dal senso di colpa giudeocristiano, per tradizione nemico del piacere in generale e negli ultimi dieci anni particolarmente impegnato in una crociata contro i piatti ipercalorici. Laddove si scorge una fonte di piacere, è lì che accorre la morale giudeocristiana cercando di dissuadere con ribassi sensoriali, se non con minacce di dannazione eterna da colesterolo. È di solito un piatto che entusiasma le donne cicciottine e affettuose e gli uomini che si sono fatti da sé. I piatti calorici gelatinosi lustrano lo spirito interno ed esterno, e di conseguenza fanno circolare e fluire l'amore tra corpi buoni conduttori di frattaglie delicate, perché il piede di maiale, come quello di agnello, sono i re del piacere della testura. Il palato istruito nella ricerca di gelatine dosificate prepara lo spirito dell'amore ad audacie insonnolite con il lieto fine di un vino generoso e un po' dolce, indispensabile per concludere i pranzi in cui hanno preso parte piedi, orecchi, musetti e tutta la gamma delle frattaglie. Se per di più questa fricassea è stata preparata con l'aiuto delle insuperabili spezie marocchine, non solo è un balsamo per gli emboli del piacere, ma profuma angoli e nascondigli dei corpi abbandonati. E se ci sono stati molto cibo, molto vino e molta ginnastica amorosa, fatalmente giunge una sonnolenza tiepida e profonda in cui sogliono accennarsi sogni pastorali: le pastorelle nude con i capezzoli viola e i pastori arrapati, con zampogne gonfie di musiche rilassanti. E quando ci si sveglia da questo sogno fortunato, è tanta l'energia lasciata dal piatto, e tanto benevola, così ben distribuita proprio per la sua condizione di fricassea, che è possibile ripetere l'amore due o tre volte, e si racconta persino di un principe di Andorra che riuscì ad amare dodici volte in un pomeriggio ma, questo sì, aggiungendo alla ricetta descritta un tipo di rapa nera della Cerdanya catalana. Tuttavia una simile aggiunta rasenta quasi la stregoneria.

Fave alla santoreggia

(Per 4 o 6 persone)
2 kg di fave tenere
1 rametto di santoreggia
selvatica
60 g di burro tagliato a
pezzettini
santoreggia selvatica tritata

Si fanno bollire le fave insieme a un rametto di santoreggia. Quando sono diventate tenere si fanno sgocciolare e si toglie il rametto di santoreggia. Si fanno saltare in padella a fuoco vivo per asciugarle un poco. Si levano dal fuoco e si mescolano al burro facendo attenzione a non romperle. Si servono in un vassoio preriscaldato spolverandole con la santoreggia tritata.

L'erba aromatica meno comune sostituisce in questo caso la menta, vegetale ritenuto di solito inseparabile dalle fave, almeno nella cucina dei paesi più mediterranei. La santoreggia, come il dragoncello, proviene dall'Europa Orientale, e le vengono riconosciute proprietà stomachice, vale a dire favorisce la digestione, pur avendo un sapore inquietante e misterioso che spesso non piace ai palati troppo semplici. Questo piatto dell'ultimo minuto mette insieme due primavere, quella delle fave e quella della santoreggia ed eccita doppiamente il sangue in tutte le estremità del corpo. Ci sono piatti di fave (come per esempio le fave stufate) che sono ovviamente afrodisiaci, ma altri invece lo sono in modo discreto, come certi corpi difficili da indovinare sotto indumenti abbandonati. La fava suscita associazioni sessuali per via del suo baccello e della volgarità associativa dei nostri antenati, ostinati ad antropomorfizzare le forme della natura. Gli antichi sostenevano che Dio aveva colmato la natura di messaggi criptofallici e che la fava ne era un esempio. Il piatto in questione richiede fave primaticce, altrimenti rischiano di diventare foraggio. Le fave primaticce hanno un retrogusto, ossia un sapore doppio, oppure un sapore e la sua ombra. Aprono lo spirito e incoraggiano la cordialità iniziale. Per esempio: chi ha mangiato fave alla santoreggia proverà l'urgente necessità di far sedere il commensale più bello sulle sue ginocchia.

Fave alla Catalana

fave
sanguinaccio catalano
(butifarra negra)
pancetta affumicata
lardo, cipolla, aglio, pomodoro,
vino vecchio, anice secco, un
bouquet garni di timo, alloro,
rosmarino, menta e un piccolo
bastoncino di cannella, legati
bene con un cordoncino sottile
1/2 cucchiaino di zucchero,
pepe macinato, sale

Si mette sul fuoco una casseruola o una pentola con del lardo, vi si frigge la pancetta affumicata, da entrambi i lati; quando è ben fritta, si toglie dalla casseruola e si mettono al suo posto la cipolla, l'aglio e il bouquet garni. Quando la cipolla comincia a imbiondire si aggiunge il pomodoro, che si lascia un po' stufare, e si uniscono subito le fave sbucciate. Si copre la casseruola e si fanno stufare per un po' anche le fave; poco dopo vi si versa il vino vecchio, l'anice, il pezzo di pancetta fritta e il sanguinaccio, insaporendoli con sale, un po' di pepe, e mezzo cucchiaino di zucchero. Si aggiunge poi il brodo sino ad annegare le fave. Si copre la casseruola mettendo un pezzo di carta da macellaio o da forno sotto il coperchio, e si lascia cuocere dolcemente. Qualche minuto prima di ultimare la cottura, si leva il sanguinaccio per evitare che si disfi; le fave devono continuare a cuocere finché diventano tenere. Prima di servirle, togliere dalla casseruola il bouquet garni. Le fave vanno versate in un vassoio fondo (o in una legumiera) e sopra si sistemano il sanguinaccio e la pancetta tagliati a pezzetti, alternativamente. C'è chi aggiunge un po' di prezzemolo tritato sulle fave prima di servirle. Vengono portate in tavola molto calde.

Chiamate anche "faves ofegades" (fave affogate), perché cuociono nello stesso liquido liberato dalle fave insieme a quello delle cipolle, dei pomodori e al poco vino che ricevono. Ho sostenuto, sostengo e sosterrò, che le fave alla catalana sono un afrodisiaco di virtù equivalente a quello delle rigaglie di gallo, secondo Brantôme il maggiore afrodisiaco donatoci da madre natura. L'erotismo delle fave alla catalana deriva dalla testura, sapore e biochimica degli ingredienti, condizionati dalle erbe aromatiche (maggiorana e menta) ma anche dall'oscurità saturnale del sanguinaccio. E come causa socioerotica bisogna tener conto della digestione pesante, della sonnolenza accaldata in cui tutti i peccati sono possibili. È preferibile la compagnia di donne voluminose, con un sistema nervoso lento, perché quelle che lo hanno rapido sono in grado di digerire il piatto a velocità poco conveniente creando una sfasatura ambientale con risultati funesti.

Le fave alla catalana si addicono molto alle signore con occhi verdi, ma tenuto conto della loro scarsità, non è il caso di arricciare il naso davanti a quelle con occhi grigi o grigioblu. Riguardo a quelle con gli occhi neri, non le ho mai assaggiate insieme a questo piatto, ma temo un dopo letto lacrimoso.

Animelle di vitello Trianon

(Per 6 persone)
6 animelle di vitello, molto
bianche, di media grandezza
150 g di burro
300 g di champignon
20 g di scalogno tritato
3 g di tartufo
20 g di prosciutto cotto magro
1 uovo
1 cucchiaio d'olio
70 g di farina
125 g di mollica di pane fresco
1 cucchiaio di panna da cucina
fresca
2 dl di latte
sale, pepe

Si mettono le animelle in una pentola piuttosto alta: si lasciano sotto l'acqua corrente per mezz'ora. Si riempie la pentola con 3/4 d'acqua soltanto. Si fa bollire il tutto a fuoco vivo per 1 minuto, poi si mettono le animelle di nuovo sotto il rubinetto per raffreddarle. Si sgocciolano. Si stende un panno bianco su una superficie piana, vi si appoggiano le animelle bene pressate, si coprono con metà del panno e vi si preme sopra un'asse di legno o tagliere con un peso sopra per schiacciarle ulteriormente. Con l'aiuto di uno spiedino di legno, o altro, si lardellano le animelle con tartufo e prosciutto, si salano e si cospargono di pepe macinato al momento. In seguito si infarinano con 50 g circa di farina, si passano nell'uovo sbattuto insieme all'olio e poi nella mollica di pane. Si mettono sul fuoco 100 g di burro in una padella piatta e vi si pongono le animelle quando il burro comincia a schiumare. Si sposta il recipiente su un lato del fornello, a fuoco basso per 10 minuti circa: si girano le animelle quando sono imbiondite, finendo la cottura normalmente a fuoco lento.

Si fondono 20 g di burro in una casseruola. Si aggiungono 20 g di farina, si mescola il tutto sbattendolo un po', e si lascia cuocere il roux *ottenuto per qualche minuto. Nel frattempo si scalda il latte leggermente salato mescolando in fretta sino a quando bolle. Poi si abbassa il fuoco e si lascia cuocere questa besciamella. Si puliscono e lavano gli champignon cambiando più volte l'acqua, e si tritano molto fini. Si mette in una casseruola il burro rimasto, vi si aggiunge lo scalogno tritato, si fa leggermente imbiondire, poi si amalgamano gli champignon tritati e si cuoce il tutto a fuoco vivo sino a completa evaporazione. Si versa la besciamella su questo miscuglio; vi si aggiunge la panna da cucina, lasciandola bollire fino a quando sarà a punto. Si guarnisce il fondo di un vassoio con questa crema e si dispongono sopra le animelle di vitello. Si serve molto caldo.*

Piatto da laboratorio aristocratico che soleva servirsi nei banchetti dell'Eliseo sino a quando Giscard I di Francia e qualcosa di Spagna passò, con armi e bagagli, alla *Nouvelle Cuisine* di Paul Bocuse. I più importanti politici francesi si servivano di questo piatto per alzare il tasso calorico delle mogli dei direttori generali ambiziosi e degli ambasciatori bramosi di ottenere un bilancio dei pagamenti da curriculum. Alcuni provinciali dell'Estremadura hanno identificato questo piatto con quello già preparato da Doña Paca Poblador a Plasencia prima che le truppe napoleoniche se ne tornassero a casa con le ricette di cucina di Alcántara. Ma è pur sempre vero che il fatto di chiamare questo piatto Trianon non nasconde la semplicità di una preparazione che conferisce alle animelle la categoria di fine afrodisiaco, sia per il tartufo, sia per il latte, sia per le animelle, ghiandole ingenuamente tenebrose che portano l'immaginazione agli angoli proibiti del corpo umano.

Lingua di maiale con salsa di melagrana

(Per 4 persone)
4 lingue di maiale
2 melagrane
2 cipolle tritate
1 bicchierino di vino vecchio
1 kg di patate
300 g di strutto di maiale
1 tazzone di brodo
sale

Scottare, spellare e raschiare le lingue. Imbiondirle in padella con strutto di maiale. Salarle. Aggiungere la cipolla tritata e, quando diventa trasparente, i semi delle melagrane. Il tutto deve cuocere per 10 minuti circa; si aggiungono poi il vino e il brodo che verranno lasciati sul fuoco sino a quando le lingue saranno cotte. Si friggono in poco condimento le patate tagliate a fettine molto sottili. A metà cottura si salano. Si sistemano su un vassoio le lingue tagliate a fette, coperte dal sugo di cottura e circondate dalle patate stufate.

Alcune coppie si lasciano impressionare da certi ingredienti: a queste non bisogna dire su due piedi che stanno mangiando lingue di maiale, perché la parola lingua non suona tanto bene e il maiale ha una cattiva reputazione, sfortunato animale affettuoso e del tutto addomesticabile che solo la capricciosa affettività umana ha condannato a vivere senza amicizie. Ecco qui, invece, un piatto coi fiocchi per coppie veementi, primo stadio preconviviale del fuoco, eccitato dalle evocazioni d'obbligo della melagrana, frutto che esalta l'immaginazione erotica per la complicazione che suppone lo sgranarne i semi: una nudità graduale in cerca dell'origine di tante pietre preziose. Qualcuno ha addirittura sostenuto che la melagrana è un frutto di bigiotteria, esaltato forse dallo sfoggio di quei rubini succosi. Capezzolo o clitoride, come il lampone, ma cristallizzato, il seme della melagrana ha lasciato in questo piatto un tam tam di salsa che l'amante esperto saprà adoperare a suo vantaggio. Piatto per vini rossi leggeri un po' freschi che facilitino bevute abbondanti, perché il piatto in sé ha solo due meriti importanti: la curiosità e l'inquietudine onirica scatenata dalle lingue che sono per di più, in questo caso, lingue corte, che si immaginano mobili e sensibili, possibilmente educate alla degustazione di ghiande, ma andranno bene anche le lingue di maiale nutrite di fave. Nell'antichità ebbe grande rilievo la disputa sulla superiorità della ghianda o della fava per profumare i prosciutti, ma al giorno d'oggi si adoperano come pasto dell'ultimo mese, insufficiente tocco finale per maiali allevati con amburghesi e ketchup, e vi prego di scusarmi per la metafora. Piatto MOLTO indicato per le donne alte, magre ma non troppo, e per le brune, più nervose che controllate, e con quella sfacciataggine che in altri tempi si chiamava temperamento. Anche se nessuno scienziato ne ha scoperto sino a oggi la ragione, questo piatto favorisce il coitus loquax, senza straripare nella colloquialità. Perché non c'è nulla di più riprovevole dei coiti che provocano una conversazione sulle linee isobariche e gli anticicloni: non è il caso di mettersi a parlare di meteorologia.

Rigaglie di pollo in salsa agrodolce

(Per 4 persone)
1/2 kg di rigaglie di pollo
(fegato, duroni, cuore)
1 peperone verde
3 grossi gambi di sedano
1 cipolla media
3 cipolline verdi (o cinesi)
3 pomodori medi non molto
maturi
1 peperoncino piccante rosso
o verde
3 cucchiai di aceto
5 cucchiai di zucchero
1 cucchiaino di sale, pepe, salsa
di soia, maizena, un po'
di glutammato monosodico,
Xères secco, un pezzetto
di zenzero (facoltativo)

Lavare le rigaglie, tagliarle a fette o a lamelle e marinarle con un po' di Xeres secco o acquavite (Pisco), la salsa di soia e il pepe. Saltare a fuoco vivo le rigaglie in una padella con tre cucchiai d'olio. Aggiungere lo zenzero o kion a striscioline sottili, insieme al peperone, alla cipolla e al sedano, sempre a striscioline. Friggere per qualche minuto. Aggiungere il pomodoro tagliato a pezzi non molto grossi, di circa 3,5 cm. Continuare a friggere per un paio di minuti. A parte preparate una salsa con l'aceto, lo zucchero, il peperoncino a striscioline (o qualche goccia di tabasco), sale e glutammato. Sciogliere un cucchiaino di maizena in un terzo di tazza d'acqua e mescolare alla salsa. Versare nella padella, mescolare bene e ritirare dal fuoco quando la salsa ha acquistato consistenza.

Dalla storia più antica dei beveraggi ed elisir sino a quelli che Chester Himes recupera dalla sottocultura di Harlem, le rigaglie di pollo non hanno mai perso la loro condizione di frutti dell'Averno approntati per sedurre gli umani. Le viscere rendono possibile la vita e, ad esser sinceri, i muscoli e la carne sono la parte più sciocca dell'uomo e di alcune donne. Per questo gli antichi videro nelle viscere la malignità del potere e della saggezza, per la loro prossimità con il sangue, per il loro rapporto con gli andirivieni del sangue dalla punta del pene ai canali quasi invisibili del cervello. Fosca cultura, indicata pertanto ai cinesi che convertirono i filtri d'amore in un secondo piatto molto suggestivo e pieno di proteine, vietato soltanto alle vittime dell'uremia. Naturalmente è un piatto molto indicato ad aprire le porte dell'amore, a meno che il partner non sia cinese. I cinesi di questo piatto ne hanno fin sopra i capelli.

Rôti dell'imperatrice

1 *rondine*
1 *quaglia*
1 *pernice*
1 *fagiano*
1 *tacchino piccolo*
1 *maialino medio*
100 g *di strutto di maiale*
1 *oliva ripiena*

Si prende un'oliva ripiena d'acciuga e si mette dentro a una rondine pulita; la rondine si mette dentro a una quaglia, la quaglia dentro a una pernice e questa a sua volta dentro a un fagiano. Il succulento e aristocratico fagiano ripieno si mette a sua volta, affettuosamente, dentro a un tacchino, e il tacchino, infine, si mette dentro all'addome di un maialino non troppo grande, che viene richiuso con grande perizia. Questo pacchettino va messo tutto quanto in una casseruola per arrosti ben unta di strutto e, come insegnano i maestri, si fa arrostire a fuoco lento versandovi sopra di continuo lo stesso sugo che sprigiona. Quando si ritiene che sia cotto a puntino, si procede alla rovescia, ossia: si leva il tacchino dal maialino, il fagiano dal tacchino, ecc. E così sino a raggiungere il culmine di questa delizia culinaria, vale a dire, l'oliva, dove si annida la saporita sinfonia dell'acciuga.

Questo piatto, che sospetto altamente immaginativo e pertanto immaginario, viene attribuito ad Alexandre Dumas, l'autore dei *Tre Moschettieri*, eccellente *gourmet* e pessimo padre. Naturalmente, si tratta di un piatto che richiede la compagnia di un'imperatrice o, in sua mancanza, di una regina o duchessa, senza mai scendere alla buzzurraggine di spartirlo con una dama, per quanto bella sia, di nobiltà papalina. È indispensabile che la conquista dei diversi territori dell'amore avvenga parallelamente alla conquista dell'oliva che appare come fine e principio di un piatto eccitante, quasi si trattasse di un gigantesco *strip-tease* di carni commestibili. Dopo un rapido controllo del Gotha torno alla mia vecchia idea di spartirlo un giorno con Paola di Liegi prima che le nevi del tempo imbianchino le nostre tempie, a condizione che la ragazza conservi quell'aria da principessa che marina la scuola cinque giorni a settimana per abbandonarsi tra braccia plebee che puzzano di soffritti profondi.

Steak tartare

(Per persona)
150 g di filetto di manzo
macinato
1 tuorlo d'uovo
1 cipolla
1 cucchiaio di capperi
1/2 cucchiaio di senape
1 cucchiaio di olio
sale, pepe, paprika
1 cucchiaio di prezzemolo
tritato fine
salsa Worchester (facoltativa)
salsa Ketchup (facoltativa)
tabasco (facoltativo)

Lo steak tartare è uno dei rarissimi piatti in cui, per assai remoto atavismo, la carne si mangia del tutto cruda. Il modo più diffuso di presentare il manicaretto vuole la carne posta in mezzo al piatto a formare un piccolo turbante, con il tuorlo d'uovo intatto all'interno e le diverse guarnizioni in mucchietti che circondano lo steak. Le salse e i condimenti vanno presentati a parte, e ciascuno se ne servirà a piacimento dopo avere mescolato a dovere tutti gli ingredienti principali.

Ecco un piatto di risorsa per furbetti da ristorante, una specie molesta che cerca di sfoggiare la propria sofisticazione. Ma può anche diventare un piatto eccelso a seconda delle proporzioni in cui si combinano gli ingredienti e a seconda della qualità della carne. Perché il sapore della carne deve imporsi brevemente, appena un decimo di secondo nel palato, sugli oceani di salse e spezie. Mangiare carne cruda è stata un'antica consuetudine umana repressa dalla cultura, proprio quando si è cominciato a ingrassare il bestiame con gli ormoni. Mangiare ciò che si ama è un oscuro desiderio talvolta intravisto, come un paesaggio profondo, dalla frontiera dell'allattamento. Orbene, subito dopo l'allattamento, viene lo steak tartare e il tuorlo d'uovo è come una luce che diventa carne, come le parole diventano cose. Il tabasco non è indispensabile, ma poche gocce eccitano il cervello sud del corpo umano.

Ostriche, astici e mummie

Non intendo denunciare ancora una volta la falsità che sostiene che i crostacei e i frutti di mare sono un afrodisiaco, materia prima a cui si devono più orticarie che coiti. Ma è pur vero che i frutti di mare e i crostacei, si tratti di bivalvi o di qualcosa di tanto gotico come l'aragosta o l'astice, sono una valida spinta per creare situazioni, aiutati dalla leggenda e dal prestigio conferito dal loro prezzo. Bisogna fidarsi molto dell'appetito altrui per adoperare come esca o specchietto per le allodole nella caccia erotica le *uova alla maiorchina*, per esempio, se non addirittura cascare nell'eccesso post-immaginativo di uova sode alla besciamella. Invece alcune ostriche, delle semplici ostriche con limone, aprono molte porte, e non per la reazione chimica provocata dall'animaletto, ma per l'emozione visiva che di solito suscitano. Funziona persino un piatto di baccalà, quanto di più geniale abbia creato la coscienza gastronomica umana, da quando si intuì che il baccalà secco o salato, riportato in vita per cucinarlo, compie dentro di sé il rapporto Eros e Thanatos, vale a dire Amore e Morte, che ha fatto versare tanto inchiostro poetico. Furono senza dubbio i tecnici della demummificazione, probabilmente nell'Antico Egitto, a iniziare il processo empirico che portò il baccalà a trasformarsi da mummia in *baccalà al pil pil*. Sulle proprietà erotizzanti di questo piatto basato su un animale doppiamente morto, rimando al commento della ricetta.

Abalone (aliotide) alla salsa d'ostriche

1 confezione media di abalone
1 o 2 germogli di bambù (o palmito)
4 o 5 funghi cinesi (ton ku)
1 cipolla media
3 cipollotti teneri (o cipolline cinesi)
1 spicchio d'aglio piccolo
1 pezzettino di zenzero
2 cucchiai rasi di maionese
sale, pepe, un pizzico di zucchero, glutammato monosodico, maizena, un cucchiaio di sale di soia, tre cucchiai di salsa di soia, tre di salsa d'ostriche, un po' di vino bianco o Xères secco o Pisco (acquavite)

Mettere a bagno qualche ora prima i funghi, lavarli e togliervi il gambo. Tagliare a lamelle. Fare lo stesso con il bambù e con gli abalone. Tagliare la cipolla a striscioline e i cipollotti in pezzi lunghi circa 3,5 o 4 cm. Far saltare la cipolla e i cipollotti in una padella grande con un po' d'olio. Quando cominciano a imbiondire, aggiungere il bambù e i funghi, continuando a friggere per un paio di minuti. Mettere da parte in un piatto e tenere al caldo. Scaldare nella stessa padella un altro po' d'olio, friggere l'aglio e lo zenzero pestati nel mortaio, e metterli da parte. Dare una frittura veloce agli abalone. Aggiungervi le verdure, la salsa d'ostriche, il vino bianco (1 cucchiaio), la maizena sciolta nel liquido di abalone (mezza tazza), il pepe, lo zucchero, il sale e il glutammato monosodico. Lasciar cuocere per un paio di minuti, muovendo la padella affinché il preparato non si attacchi al fondo e servire molto caldo.

Cineseria eccelsa molto indicata per approcci con spagnoli dell'entroterra, a condizione che abbiano frequentato almeno le medie. L'abalone è uno degli ingredienti che preferisco, lo ritengo addirittura al livello morale del cuore di carciofo, della pelle dove alcune cosce si chiudono su se stesse, di alcuni culi, di alcuni zigomi, di alcuni seni, di alcuni ciottoli delle spiagge di Patmo. L'abalone ha testura di pesce e odore di sesso, senza che si sappia mai con o contro chi si pecca, quale sesso si stia mangiando, con il vantaggio che, nonostante la sua condizione straniera, l'abalone non appare ancora né nell'elenco né nelle condizioni d'ingresso della NATO. Tra i diversi modi di mangiarlo – una zuppa, semplicemente condito o in piena foresta di bambù e funghi – scelgo questo, in cui la salsa d'ostriche copre il tutto con un sapore da limo di pantano marino.

Baccalà al pil pil

(Per 4 persone)
8 pezzi di baccalà
1/2 litro d'olio di oliva
4 spicchi d'aglio
2 peperoncini piccanti piccoli

Si tiene il baccalà a bagno per circa 24 ore, cambiando l'acqua ogni otto ore. Si accerta che la dissalatura sia al punto giusto. Se così è, si toglie il baccalà dall'acqua e lo si fa sgocciolare, si squama e si tolgono le spine. Si mette sul fuoco una pentola di terracotta con l'olio, i peperoncini e l'aglio. Si mettono da parte il peperoncino e l'aglio quando saranno imbionditi, e si mette in quella stessa pentola il baccalà con la pelle. Se il baccalà è di buona qualità, basteranno quindici minuti di cottura. In seguito, si leva l'olio e si comincia a lavorare il baccalà, imprimendo alla pentola movimenti circolari e ondulatori, e nel frattempo si aggiunge a poco a poco l'olio, lo stesso che prima è stato messo da parte, sino ad ottenere una salsa densa. Si orna con gli spicchi d'aglio adoperati all'inizio e con i peperoncini tagliati a rondelle.

Se non si trattasse di magia, ma dico magia vera e propria, inspiegabile, direi che si tratta di magia, ed è questo che dico. Baccalà morto stecchito, resuscitato dall'acqua e trasformato a un tratto in materia malleabile, come il marmo nelle mani di Michelangelo o l'argilla in quelle di un vasaio di Guadix. È magia che il baccalà morto stecchito diventi materia che ha creato il proprio paesaggio di salsa bianca e cremosa come un latte fondamentale e solido. Due corpi che mangiano insieme il *baccalà al pil pil* dalla stessa pentola diventano per forza vasi comunicanti perché tra essi prende il sopravvento la comunicazione della materia-linguaggio, il pil pil, lingua, fatti, cose che si ascoltano dallo stesso centro dell'esperienza condivisa. Così parlò Zarathustra. Ma io mi limito a dire che questo è il piatto re dei mari e dei letti, vale a dire, il piatto re di tutte le navigazioni, e che vivere non è necessario, ma navigare sì.

Astice all'armoricana

(Per 2 persone)
1 astice vivo da 900 g
3 cucchiai d'olio
120 g di burro
20 g di cipolla tritata
30 g di scalogno tritato
1/2 testa d'aglio tritata
3/4 di litro di vino bianco secco
3 dl di fumetto di pesce
3/4 dl di cognac
2 pomodori pelati e senza semi
1 cucchiaio raso di concentrato
di pomodoro
10 g di farina
prezzemolo, dragoncello
pepe di Caienna
1 cipolla
1 bouquet garni *al dragoncello*
qualche goccia di Tabasco

All'astice vivo si tagliano le zampe e si spezzano le chele con il manico di un coltello. Si taglia la coda in quattro pezzi e la testa a metà per il lungo, senza levare le carni all'interno. Si toglie soltanto la borsa che contiene una specie di sabbietta. Si serba in una tazza il corallo (parte verde e scura) che verrà staccato con attenzione. Si versa dell'olio in una casseruola dal fondo piatto, insieme a 20 g di burro, che vengono ben scaldati per versarvi subito i pezzi d'astice. Si condisce con sale e pepe macinato al momento; si mescola con un mestolo di legno e si cuoce a fuoco vivo sino a quando le carni diventano dure e il guscio acquista un colore rosso acceso; si elimina l'unto chinando il recipiente e trattenendo i pezzi del crostaceo con il coperchio della pentola. Si spargono sull'astice la cipolla, lo scalogno e l'aglio tritati. Si mescola in fretta e si aggiunge la maggior parte del cognac (tenendone da parte un po' che verrà adoperato a fine cottura), dandogli fuoco per ottenere l'effetto flambé; si aggiunge il vino bianco, il fumetto di pesce in quantità sufficiente per coprire i pezzi d'astice, i pomodori schiacciati, il cucchiaio di concentrato di pomodoro e il bouquet garni al dragoncello. Si cuoce a casseruola coperta per 20 minuti, si levano i pezzi d'astice che vanno posti su un vassoio. In seguito si sgusciano le zampe, le chele e i pezzetti della coda, togliendo la carne possibilmente intera e si mettono in una legumiera che va tenuta al caldo. Per preparare la salsa, si riduce il liquido di cottura a metà; poi, con una frusta in fil di ferro, si lega la salsa al corallo schiacciato, vi si mescolano 50 g di burro ammorbidito e 10 g di farina, si cuociono appena, e si passa poi la salsa attraverso il colino cinese in una casseruola. Si incorpora il resto del cognac e del burro e si aggiusta il sapore con sale, pepe e qualche goccia di Tabasco. Si versa la salsa sui pezzi d'astice, spruzzandoli di prezzemolo e dragoncello sminuzzati. Come guarnizione si può servire del riso Pilaf.

Piatto lussuoso e caro come alcune camicie e alcune vite. Ideale per un abbordaggio esibizionista con gente socialmente un po' inferiore, a condizione che l'anfitrione sappia enunciare al momento più adatto il prezzo di un chilo d'astice oppure ostentare curiose conoscenze sulle lotte di astici e aragoste nelle profondità marine. Gli astici, comunque, hanno un costo meno astronomico di quello preteso per un filetto di manzo nei ristoranti veneziani. E per imparare i particolari delle loro lotte è sufficiente leggere *Lo que hem menjat* ("Quello che abbiamo mangiato") di Josep Pla, scrittore catalano "di genere" del XX secolo, che ebbe il buon gusto di non assaggiare mai l'astice all'armoricana per via della stupidità del nome e della sua artificiosa preparazione: nulla supera infatti l'astice arrostito con furore e una salsa di limone e olio come sola compagnia. Ma il fine giustifica i mezzi e l'astice all'armoricana è talvolta indispensabile per raggiungere la nudità essenziale dell'epidermide.

Insalata di ostriche e branzino

(Per 4 persone)
1 kg di branzino
18 ostriche
limone, olio, aceto di miele, sale,
pepe, erbe aromatiche

Le parti nobili del branzino, spellato, spinato e pulito, si avvolgono in carta stagnola e si mettono nel frigorifero in uno scomparto molto freddo per almeno ventiquattro ore, allo scopo di poter tagliare poi il pesce a fette assai sottili. Queste fette si terranno a marinare in un bello spruzzo di limone, olio d'oliva, mais o arachide (insapore), qualche goccia di aceto di miele. Si condisce con sale e pepe, erbe aromatiche (aneto, per esempio). Si aprono le ostriche, si estraggono i molluschi e si collocano sulle fettine di branzino marinato, versandovi sopra il liquido dell'ostrica. Gli autori della ricetta (Víctor Merino e la sua squadra)[1] consigliano di mangiare insieme ostriche e branzino.

[1] Del ristorante "El Molino" di Santander, uno dei templi della *Nouvelle Cuisine* spagnola.

Piatto cantabro, della zona lunare della Cantabria, l'anello mancante tra il capo di Finisterre e l'altra faccia della luna. Il branzino è bello, ma scervellato, e le ostriche invece condensano malizie siderali, quasi fossero parassiti meteorici. Come spesso accade negli esempi della nuova cucina, questo piatto ha molto a che vedere con l'arte astratta, perché la nuova cucina sta alla vecchia come un quadro di Miró a una natura morta di Zurbarán. Di conseguenza la nuova cucina richiede compagni in grado di superare la tendenza di ogni spagnolo o spagnola a rivendicare entusiasti il patriottismo dell'aglio e del salame con peperoncino piccante. Il piatto è molto gradito ai promotori dell'arte per l'arte e a coloro che hanno come segno zodiacale lo Scorpione in quanto dolcifica il loro spirito a nord senza nuocere a quello a sud. Resta ancora da verificare l'effetto artistico di un pezzetto di branzino con sopra l'ostrica a cavallo di un bel culo allargato su un letto dalle lenzuola di lino.

Kadgeri

(Per 4 persone)
600 g di rombo
1/2 tazza di besciamella
6 uova, e il volume equivalente
di riso bollito
2 cipolle medie
100 g di burro
curry piccante, pepe di Caienna,
noce moscata
100 g di mandorle

Si mescolano gli avanzi[1] del rombo bollito, senza spine, con una besciamella, a cui si aggiungono uova sode tagliate a dadini – un uovo per ogni etto di pesce. Il riso bollito, che a fine cottura deve restare con i chicchi ben staccati, e la stessa quantità di pesce vanno mescolati a una pappetta di cipolla tritata, stufata nel burro, e a una salsa al curry molto piccante. Si mescola il tutto, si condisce con il pepe di Caienna e la noce moscata; si serve in un vassoio fondo versandovi sopra una salsa al curry bollente e molto abbondante. Si spolvera con mandorle grattugiate, che vanno tostate per pochi secondi in burro caldo, e si serve subito.

[1] L'autore suppone che il piatto valga la pena solo se realizzato con avanzi di rombo altrimenti già goduto.

È dall'Asia che ci arriva questo bel piatto che può venir preparato con rombi nordici, direttamente pescati nelle acque di Günter Grass, vicine, assai vicine al canale di Danzica. È un piatto che accetta il meticciato, doppiamente appetitoso se si divide con una spia sovietica di quarta generazione, figlia di madre indiana e padre morto nel Gulag, per aver asserito che il maggiore difetto di Chruščhev non consisteva nel battere con le scarpe sui tavoli dell'ONU, ma nel farlo con scarpe poco pulite, puzzolenti scarpe che costarono una, per fortuna breve, eruzione di rogna nella delicata pelle del rappresentante spagnolo seduto davanti alla delegazione sovietica.

Erede della distinzione e delicatezza olfattiva di suo padre, la spia sovietica scopre che il Kadgeri è ciò che più somiglia al mondo a un soufflé di gelato. Altrimenti, perché quest'inondazione di curry bollente sui freddi dadini di uovo e pesce bollito?

Aragosta alla sibarita

(Per 4-5 persone)
1 aragosta viva
burro (una o due noci)
2 cipolle
3 carote
timo, prezzemolo
spezie varie
1 bottiglia di champagne brut
60 g di burro
pepe di Caienna

Sciogliere il burro e imbiondire le cipolle e le carote, tagliate fi-ni. Nello stesso recipiente, mettere l'aragosta tagliata a pezzi, an-cor viva. Spolverare con le spezie scelte. Versarvi la bottiglia di champagne; aggiungere il burro e il pepe a piacere. Cottura: mezz'ora circa a fuoco medio; servire subito.

Come l'astice all'armoricana, l'aragosta alla sibarita è un piatto da piccolo snob dichiarato e, pertanto, assai indicato a situazioni un po' affettate che, tuttavia, non rifiutano scaramucce, battaglie o guerre amorose. Vengo incontro ai lettori di buon cuore, disidratati dalle molte lacrime dopo aver letto la selvaggia proposta di fare a pezzi, e cucinare, delle aragoste vive. I puristi richiedono un trattamento così selvaggio affinché l'aragosta conservi i suoi liquidi, e perché acquisti la durezza che molte morti cruente conferiscono alla carne. Il lettore tentato dalla degustazione deve scegliere tra sentimento e curiosità ed è possibile che decida per una giusta soluzione a metà strada: uccidere l'aragosta un momento prima di farla a pezzi, prestando attenzione, questo sì, che non perda i suoi liquidi essenziali. I duri di cuore, invece, ottengono che queste morti con martirio stimolino le fonti interne del loro piacere. A costoro piace soprattutto il grido immaginario dell'aragosta. Non il suo sapore.

Involtini d'aringa alla polacca

(Per 16 involtini)
8 filetti d'aringa dissalati e sgocciolati
3 acciughe dissalate, sfilettate e sgocciolate
60 g di burro
1 cucchiaio di succo di limone
3 cucchiai di cerfoglio, dragoncello e cipollotti teneri, tritati molto fini e mescolati
3 uova sode con i tuorli e le chiare tritate separatamente
125 g di barbabietole sott'aceto tagliate a dadini o a rondelle
2 cucchiai di capperi

Si leva la pelle bianca dai filetti di aringa, che si tagliano a metà per il lungo. Gli si dà una forma ovale. Si pestano in un mortaio i filetti di acciuga, il burro, il succo di limone e si passa a setaccio. Si aggiunge un cucchiaio di erbe tritate. Si spalma uno strato di questa pasta all'interno dei pezzi di aringa, che si arrotolano a forma di cilindro. Si immerge un'estremità nella chiara tritata e l'altra nel tuorlo. Si dispongono gli involtini in un vassoio, si decorano con le erbe e vi si mettono tutt'intorno i dadini di barbabietola e i capperi.

Sebbene si sappia molto poco di come sia saltato in mente a un polacco di combinare questa "entrée", bisogna ammettere che si tratta di un piatto con la virtù allettante della salagione, tam tam della sete, in questo caso placata con bicchierini di vodka ghiacciata, seguiti da una mezza brocca di birra. E si va avanti così, aringa dopo aringa. Dopo aver ripetuto quest'operazione per quattro o cinque volte, è possibile che né l'aringa né il polacco siano più responsabili dello stato d'animo di chicchessia, pronto ormai a lasciarsi fare di tutto. Provocazione per gente di ogni età e sesso, persino per ogni tipo di combinazione di età e sesso, sebbene sale e alcool siano controindicati alle vittime del colesterolo. Questo piatto va accompagnato da fette di pane nero spalmato col burro e, di conseguenza, dopo sarà opportuno pulirsi le labbra per benino. Mentre l'olio è un grasso che accompagna bene i baci, il burro di solito gli conferisce un sapore dozzinale e di bassa categoria. Il burro è mezzana peggiore dell'aringa, sebbene esista la teoria che i sapori forti e morbosi facciano impazzire la maionese dell'amore. Quattro coppie su cinque a cui era stato domandato quale fattore gli avesse raffreddato gli spiriti, se l'aringa alla polacca o la fetta di pane nero imburrata, hanno dichiarato senza esitazione: la fetta di pane nero imburrata.

Polpo alla cretese

(Per 4 persone)
600 o 700 g di polpo pulito
5 o 6 cucchiai di olio di oliva
1 cipolla tritata
25 cl di vino rosso
1 mazzetto di finocchietto
selvatico tritato
3 o 4 pomodori pelati e senza
semi, a pezzi
sale e pepe

Si taglia il polpo a rondelle spesse un dito. Si scalda l'olio nella casseruola, si aggiunge la cipolla e la si soffrigge sino a quando diventa trasparente. Si aggiungono il polpo e il vino. Si copre la casseruola e si lascia cuocere a fuoco basso per quindici minuti. Mettere il finocchietto e i pomodori sul polpo, salare e pepare e scuotere la casseruola per mescolare bene il tutto. Si copre di nuovo e si cuoce a fuoco basso fino a quando il polpo è diventato tenero (dopo 50 minuti o un'ora). Si può mangiare caldo o freddo.

Dopo i topi e i pipistrelli, i polpi sono gli animali che più terrorizzano le donne e gli uomini capaci di terrorizzarsi per un nonnulla. Tuttavia, come ho potuto constatare, sebbene il polpo del nord terrorizzi ovunque e comunque, vivo o morto, congelato o cotto, il polpo delle isole greche è invece un'altra cosa e quel falso liberalismo nei suoi confronti si contagia a furia di sirtaki e cambi di governo. A Mikonos appendono i polpi all'aria aperta per farli asciugare e poi li servono in un piattino all'imbrunire, al calar del sole, e non c'è sfintere dell'anima e del corpo che non si apra. Perciò sono state attribuite al polpo greco proprietà di iniziazione sessuale che forse sarebbe meglio attribuire al sole o ad altri "ingredienti" ambientali. Eppure, nella ricetta che stiamo trattando, il finocchietto selvatico e il vino rosso completano una proposta peccaminosa che il palato coglie subito. Vale a dire, il palato adopera un decodificatore dei sapori e sa bene che finocchietto e vino rosso vogliono dire: *bàgnati e lascia fare*. Le ragazze ecologiste inglesi diciannovenni con seni e natiche ben disegnati, adorano il polpo alla cretese. Le loro madri, pure. Invece gli uomini sogliono mangiare il polpo in modo inutilmente virile. Come se nel mangiarlo annullassero quella poliforme minaccia animale zeppa di peni aggressivi di tutte le possibili misure.

Rombo alla diavola

(Per 4-5 persone)
1 rombo
1 litro e mezzo d'olio
1-3 cipolle
sale, timo, alloro, prezzemolo
1 spicchio d'aglio
5-6 chiodi di garofano
spezie, pepe in grani
8-10 filetti di acciuga
qualche goccia d'olio
paprika in polvere
l'olio necessario per friggere
il rombo

Marinare il rombo per un minimo di 3 ore nell'olio di oliva aromatizzato con la cipolla tritata, il sale, il timo, l'alloro, il prezzemolo, lo spicchio d'aglio, i chiodi di garofano e il pepe in grani. Preparare a parte una salsa pestando nel mortaio i filetti di acciuga e stemperandoci la paprika insieme a qualche goccia d'olio. Formare un impasto molto omogeneo. Togliere il pesce dalla marinata, friggerlo e tagliarlo a tranci. Si serve con la salsa.

Il rombo che partorì Günter Grass sulle coste di Danzica non sapeva né leggere né scrivere, ma sapeva dei pizzicotti degli altri pesci e della tendenza della cultura a mistificare le sue carni bianche. Da tempo se ne andava in giro con la ricetta *Rombo alla diavola* tatuata sulla pelle per le coste amburghesi prima, molto prima, della Lega Anseatica e della destra naturale di don Manuel Fraga Iribarne e di Charles Maurras. È una ricetta che figura nei palinsesti degli esorcismi di sant'Apollinare di Magonza, santo fornito di tre testicoli e di una cresta sperone con cui uccideva le fidanzate degli eretici. Piatto facile per stregoni poco pazienti e di effetto sicuro quanto le fave alla catalana, senza che ciò venga confermato in alcun palinsesto, nemmeno in quelli risalenti ai tempi in cui la Catalogna era un regno e non una regione autonoma.

Salmone arrosto al Riesling

(Per 6 persone)
mezzo salmone da 1 chilo e
mezzo – 1 chilo e 800 g
60 g di scalogno
350 g di burro
4 tuorli d'uovo
1 bottiglia di Riesling (o altro
vino bianco secco)
25 g di farina
1 dl di panna da cucina fresca
1 bouquet garni
150 g di pancetta grassa, o lardo

Si prende la metà di un salmone a cui si leva la pelle a crudo, si lardella con listarelle di pancetta grassa, si sala e si condisce con pepe macinato al momento. Si mette in una teglia, spargendovi sopra lo scalogno finemente tritato e 60 g di burro fuso: il pesce viene rigirato più volte per impregnarlo bene di tutte le sostanze. Si mette in forno e lo si volta dopo 5 o 6 minuti; dopo altri 4 o 6 minuti vi si versa la bottiglia di Riesling, tenendone da parte un bicchiere. Si aggiunge un bouquet garni *e si cuoce il salmone a fuoco basso per 1 ora circa. Con un cucchiaio grande si raccoglie parte del liquido di cottura e lo si versa su tutto il pesce; quest'operazione va ripetuta più volte per tutto il tempo di cottura. Si leva il salmone dal forno e si mettono i filetti in un vassoio ovale, ungendoli con burro fuso. Si coprono con un altro vassoio e si tengono al caldo. In una casseruola di media grandezza si mettono 25 g di burro fuso e 25 g di farina. Si lasciano cuocere per qualche minuto senza farli imbrunire, e si ritirano dal fuoco. Si versano nel liquido di cottura del salmone, amalgamando bene. Si cuoce per mezz'ora circa, facendo di tanto in tanto attenzione che il* velouté *non si raggrumi. Si mettono 4 tuorli d'uovo in un pentolino con un cucchiaio di acqua fredda e un pizzico di sale; si sbatte energicamente accanto al fuoco sino ad ottenere un'emulsione che si farà addensare. Si leva definitivamente dal fuoco sbattendo sempre e si versa poco a poco (come per fare una maionese) il resto del burro fuso; su di questo si versa il* velouté, *si incorpora il bicchiere di vino tenuto da parte e la panna fresca. Si aggiusta di sapore con un pizzico di pepe di Caienna e si versa la salsa così ottenuta sul salmone, tenendone da parte un po' da servire in salsiera.*

È stato provato che due persone su tre disposte a sottoporsi alla provocazione di questo piatto ricordano banchetti in Baviera senza essere mai state in Baviera e senza che se ne capisca, nemmeno approssimativamente, la ragione. Il salmone fresco ha colore di pelle segreta e piena di papille di piacere, pelle di intimità umana in cui si fa strada il potere e, talvolta, la gloria. La scienza continua a sostenere che non c'è nulla nel salmone che giustifichi la sua fama di animale che scalda le pelli umane, già calde di per sé, ma è proprio questa insistenza scientifica a dimostrare che la chimica non è in grado di spiegare la scienza del sesso, tra l'altro perché il sesso è forse l'unica attività umana che rifiuta le spiegazioni empiriche.

A riprova di questa asserzione scientifica osserviamo che quelle due persone su tre, sottoposte alla provocazione di questo piatto e che ricordano un banchetto in Baviera, sono in seguito disposte a credere che la Baviera è un'alcova, un letto, una patria piena, in fin dei conti, di colori e odori salmonati.

Seppia stufata
con olive verdi

(Per 4 persone)
1 chilo di seppia tagliata
a pezzettini
3/4 di chilo di pomodori pelati
e spezzettati
3 spicchi d'aglio pestati
olio d'oliva
75 g di olive verdi snocciolate
1 bicchiere di vino bianco
sale, pepe, un rametto di
finocchietto selvatico e alloro

Mettere in una casseruola, possibilmente di terracotta, tutti gli ingredienti indicati, tranne il vino bianco e le olive. Coprire la casseruola e lasciar cuocere fino a quando la seppia diventa più che tenera e quasi si disfa a toccarla con la punta della forchetta. Aggiungere a questo punto il vino bianco e le olive. Prima di servire si leva il rametto degli odori.

La seppia è il più femmineo dei Cefalopodi, e se le fosse concesso, porterebbe a spasso i suoi piccoli dentro la borsa fino a quando ricevono la cartolina di precetto. La tenerezza bianca e acidula della seppia a pezzetti merita l'oscuro sapore delle olive verdi, un sapore concentrato e provocante che riempie il palato con il suo contrasto d'impressioni. Piatto indicato quindi a essere spartito con donne femministe della corrente malinconica, possibilmente biondo chiaro, tinte o naturali fa lo stesso, in quanto poche bionde sembrano tali o meritano di esserlo. Biondo chiaro e pallide, di quel pallore scolorito che si ottiene nelle città un po' umide. Sono da preferire le donne con muscolatura lunga ma non tesa, dalla voce interrogativa, che sembrano fatte a misura per il nostro bisogno di parlare. Il finocchietto sta all'oliva come Ortega y Gasset sta ad Al Bano e Romina Power: indispensabile per determinarne l'identità. Gli antichi, inoltre, attribuivano al finocchietto proprietà contro la flatulenza e i calori del sud del corpo, in particolare del sud del corpo delle donne. E anche se non fosse vero, si può sempre adoperare la presenza dell'erba nel piatto per qualche citazione erudita sugli afrodisiaci. Non si sa di nessuno che sia riuscito a sedurre con ciò che aveva offerto da mangiare, ma esiste invece una vasta e complessa casistica di coloro che hanno sedotto spiegando ciò che si stava per mangiare. Si consiglia tuttavia di non eccedere con l'aglio, perché quest'eccellente braciere di passioni può diventar cenere se viene irritato dall'oscuro terrore personale dell'alito cattivo. Se si hanno tempo e facilità di manovra, si può rimediare quest'inconveniente sciacquando la bocca dopo mangiato con una soluzione all'1% di clorammina. Ma questa risorsa tecnica dovrà restare segreta, perché non vi è nulla che ammosci i muscoli del desiderio sessuale quanto la profilassi orale svelata. È una doccia fredda, peggio della scoperta di una protesi.

Leccarsi e rileccarsi

Tra le molte critiche ingiuste che mi son state rivolte c'è quella di essere poco propenso ai dessert, sintomo di una psicologia troppo strumentalizzante e impaziente. Il dessert induce alla lentezza ed è un cibo gratuito. Ciascuno dei suoi ingredienti nutrizionali di base è già presente nelle cosiddette *entrées* o nei secondi piatti. Non accetto questa critica, non solo, sostengo che un dessert è in grado di correggere un grave errore di calcolo nelle *entrées* o nei secondi piatti nel caso che ce ne siano. Ho già commentato, forse troppo, le spintarelle che di solito danno le banane, ma anche se non è facile crederci, una formula come quella dei *fichi ripieni alla siriana* procura vittorie carnali memorabili. Diffido chiunque, avaro di tempo e di denaro, voglia semplificare la ricetta dei *fichi alla siriana*, accontentandosi di farcire ibericamente il fico con mezza noce o una mandorla. È gioco da villani. I *fichi ripieni alla siriana* sono una tentazione proprio perché in apparenza sovraccarichi. Non per niente i siriani son vissuti da sempre nelle vicinanze del paradiso terrestre e di Samarcanda, assai diversamente dai bravi cittadini di Astorga, inventori di certe ineffabili *mantecadas*[1] di indiscutibile valore per il palato che, tuttavia, hanno mandato tanta gente in bianco.

[1] Astorga, in provincia di León, produce celebri *mantecadas*, biscotti all'uovo molto friabili.

Bavarese "perfect love"

(Per 8-10 persone)
90 g di cioccolato solubile in polvere
400 g di zucchero
8 tuorli d'uovo
45 cl di latte
6 chiodi di garofano
15 g di colla di pesce stemperata in 4 cucchiai di acqua fredda
40 cl di panna da cucina densa leggermente montata
2 scorze di limone grattugiate

Sbattere i tuorli e lo zucchero fino a ottenere una crema spumosa. Si fa scaldare il latte insieme ai chiodi di garofano e, prima del bollore, si levano i chiodi e si versa lentamente il latte sulla crema già ottenuta, continuando a sbattere. Si fa cuocere la miscela a fuoco molto lento, rimestando e facendo attenzione a non farla bollire. Si consiglia di adoperare un mestolo di legno. Si toglie dal fuoco l'impasto liquido e vi si aggiunge il cioccolato e la colla di pesce stemperata nell'acqua. Quando la miscela si sarà raffreddata, si aggiunge la panna sbattuta e la scorza di limone grattugiata. Si versa il tutto in uno stampo imburrato e si tiene in frigorifero per quattro ore. Si leva dallo stampo e si serve su un vassoio. (Si può sostituire il cioccolato con del caffè, adoperando al posto del latte e del cioccolato 45 cl di caffè molto forte appena fatto.)

La malizia di questa variante di dessert a base di uova addensate consiste nel chiodo di garofano, spezie mitica a cui sono state attribuite proprietà di ogni tipo, proprio perché si tratta di un chiodo inutile. Eva Braun preparava bavaresi al suo Hitler e se le mangiavano in silenzio per non distrarsi dal fragore dei bombardamenti, eppure non gliele aromatizzò mai col chiodo di garofano perché Hitler riteneva che il chiodo di garofano fosse una spezie di razza inferiore. Non scrisse nulla sull'argomento, ma i suoi intimi conoscevano la sua ripugnanza per questo aroma, che tanto si adopera negli arrosti, dopo averlo conficcato a dovere nella trasparenza umiliata della cipolla, confezionando una bomba Orsini giocattolo che scoppia di nascosto dentro la pentola. La bavarese è un dessert domestico per famiglie numerose e pertanto, tranne che nel caso Braun-Hitler, si presta a un erotismo da dopo tavola che può iniziare con la gamba che si insinua sotto la tovaglia e continuare in quelle sieste sanguigne e piene di pizzicotti con cui le coppie sposate un po' ciccione festeggiano le sessualità fuori routine. Colui che ha visto una coppia di coniugi cicciottelli fare l'amore avrà per sempre una visione armonica del mondo, come se anche il mondo fosse d'accordo con coloro che lo ritengono ben fatto. I sudori da bavarese sono dolci e lasciano un'ombra d'unto nelle pieghe sovrabbondanti della carne. In penombra, le pupille dilatate baciano tutto ciò che vedono, mentre le labbra fanno promesse di eternità.

131

Goduriosa

1350 g di zucchero
1350 g di mandorle tostate e
macinate
3 bicchieri d'acqua
36 tuorli d'uovo
1 bastoncino di cannella
la scorza di 1 limone

Sbattere i tuorli per un paio di minuti. Mettere in una casseruola lo zucchero, la cannella e la scorza di limone. Mescolare. Cuocere sino a quando lo zucchero sarà sciolto e comincia ad addensarsi leggermente. Versare le mandorle poco a poco, mescolando sempre e facendo attenzione a non bruciare l'impasto. Togliere la cannella e la buccia di limone, che si buttano via. Continuare a cuocere perché si addensi, fino a quando si mescola a fatica. Aggiungere poco a poco i tuorli, continuando a rimestare sempre nello stesso senso. Togliere dal fuoco appena comincia a bollire, altrimenti impazzisce. Servire freddo.

Dopo aver fatto l'amore, soprattutto se la donna è bruna e della costa cantabrica o di quella di Huelva, ma sempre di una costa, è necessario qualche tempo di coccole d'intrattenimento, perché le brune della costa sono asciutte come un prosciutto iberico e non si espandono come le brune di pianura. In questi tempi di coccole di mezza stagione non c'è nulla come la pasticceria popolare fornita, contrariamente alle regole, non dalla donna ma dall'uomo. Perché sarà segno di delicatezza e di antica e tradizionale affettuosità che l'uomo prenda dal frigo un vassoio di *goduriosa* attribuita a una mamma che veglia i riposi del guerriero suo figlio. Chi non ha, per sua sfortuna, una mamma sotto tiro, può sostituirla con una madrina o vecchia vicina o portinaia con il dono della generosità. Piatto che suscita nostalgie di sapori e profumi d'infanzia, un'età della vita in cui la pasticceria è una patria e il mondo sono i quattro punti cardinali di una casa mentale e immaginaria.

Dopo essersi ben goduti la *goduriosa* si constaterà, irrimediabilmente, che le nuove pratiche amorose sono più sussiegose e tenere, meno aggressive, piene di quel soave tocco disarmato con cui si esplica l'amore vero. Si corre il rischio, tuttavia, che l'amore continui nel tempo ed esiga relazioni stabili, galeotta senza ombra di dubbio la *goduriosa*. Coloro che non vogliono incorrere in un simile rischio, possono sostituire questo nostalgico dessert con le frittelle al miele, altrettanto buone e profondamente dolci, ma meno sentimentali.

Confettura di zenzero verde

"Confettura di Zenzero, che, pur essendo chiamato zenzero verde, è quello che si ottiene dallo zenzero chiamato della Mecca, perché proviene da quella Mecca dove è seppellito Maometto."
(Dal Trattato sulle confetture di Nostradamus)

Prendete dello zenzero bianco, o di quello della Mecca, che è il migliore. Mettetelo a bagno in acqua calda, cambiandola una volta al giorno per tre giorni. Prendete poi della lisciva ottenuta da sarmenti e che sia piuttosto forte. Vi bollite lo zenzero, prima in poca lisciva, che poi scarterete per versarne altra. Controllatelo spesso, perché lo zenzero cambia facilmente; dovrete assaggiarlo per accertare se è diventato meno forte. Se non lo fate bollire troppo spesso, non dovrebbe perdere la sua forza. Successivamente, dopo averlo fatto bollire a lungo nella lisciva in modo che questa assorba la forza dello zenzero, prenderete quest'ultimo e lo metterete a mollo in acqua pulita, lavandolo bene ma senza strizzarlo. Dopo averlo tenuto a bagno per tre o quattro giorni, cambiando l'acqua tutti i giorni per levare il sapore della lisciva, lo farete bollire in acqua pulita con un po' di miele sino a dargli una certa consistenza. Butterete quest'acqua e assaggerete lo zenzero per controllare che non sappia di lisciva e non sia eccessivamente pungente. Lo farete sgocciolare su un panno bianco e dopo prenderete la quantità necessaria di miele dando un bollore al tutto in un pentolino per 2 o 3 volte. Quando si sarà raffreddato leverete la schiuma con una schiumaiola. Mescolerete il miele e lo zenzero e lascerete riposare il miscuglio per 2 o 3 giorni. Il terzo giorno darete 2 o 3 bollori al miele e allo zenzero. Poi mettete il tutto in una giara ben coperta.

Dopo che la Beata Gelsomina nella *Strada* di Fellini ha teorizzato a sufficienza sul senso di non importa quale elemento dell'universo, persino quello delle pietre, può sorprenderci che abbia senso una confettura di zenzero, o lo zenzero mescolato con del miele ribollito? Indicata per le pelli bianche, anche se può sembrare un intruglio per depilarle, non esiste un piacere paragonabile al leccare dolciumi di questo tipo spalmati a dovere su carni sode. E non è il caso di spaventarsi per l'uso della lisciva, perché nel Medioevo è così che veniva chiamata una mistura di legno e acqua adoperata per sbiancare la frutta, e se il beveraggio non vi solletica l'immaginazione o siete prudenti e non vi fidate della lisciva e dei suoi succedanei, potete rimpiazzarla con una manciata di sale e un po' d'acqua, che servono allo stesso scopo. La cucina si avvale di molta tolleranza, in quanto libera scienza e arte nevrotica, ma meritereste di finir dritti in gattabuia se adoperaste questa marmellata per spalmarla sui toast, disidratate animule del pane, studiate per marmellate possibilmente inglesi ottenute con frutta mediterranea. La marmellata di Nostradamus è più unguento che confettura e ha bisogno di esseri umani biondi con carni vissutelle, sottoposte alla dittatura della lingua in perfette condizioni. Si consiglia al marmellatore, prima di iniziare la marmellatura, di pulirsi la lingua con mezzo *lime* dei Caraibi.

Crema al vino e limone

(Per 4 persone)
15 cl di vino bianco
1 scorza di limone grattugiata
15 g di fogli di gelatina sciolti
4 uova
5 cucchiai di succo di limone
1 cucchiaio di cognac
25 cl di panna da cucina densa
sbattuta

Si scioglie la gelatina e vi si aggiungono il vino e la scorza grattugiata di limone. Si sbattono le uova in un recipiente a bagnomaria messo in acqua calda ma non bollente, sino a quando cominciano ad addensarsi leggermente. Si ritirano dal fuoco. Si filtra la miscela di gelatina sulle uova e si aggiunge il succo di limone e il cognac. Si sbatte la miscela fino a quando diventa fredda. Vi si aggiunge, amalgamandola, la panna da cucina sbattuta. Si serve in bicchieri insieme a bastoncini di cialda.

Dessert da amante professionista, di quelle che un tempo venivano chiamate "mantenute" o "amichette", con un appartamento in quartieri discreti dove si recava una volta alla settimana, almeno, il proprietario dell'appartamento e della disponibilità di quelle signorine, che quasi sempre avrebbero voluto essere cantanti del varietà. La moglie legittima preparava la crema secondo l'ortodossia inglese o spagnola: la "mantenuta" vi aggiungeva vino e limone, così come aggiungeva ginnastica da Kamasutra al tran tran sessuale del protettore. Anticamente, vale a dire se non altro prima della guerra in Corea, i coniugi pattuivano una doppia sessualità maschile: quella con la moglie sposata in chiesa basata sul coito orizzontale con illuminazione discreta, e quella con l'amante, capace di eccessi che nessuna donna perbene era disposta a prendere in considerazione. Non solo. Quelle rare volte in cui la moglie amava il marito con immaginazione, questi, in men che non si dica, le mollava un ceffone poiché era ovvio che tali pratiche non poteva averle imparate nella vita matrimoniale, o che comunque erano il risultato di confidenze di amiche poco raccomandabili. Più tardi, la guerra in Corea cambiò tutto. Le mogli più ammodo cominciarono a preparare la crema al vino e limone, ed ebbe inizio quella confusione delle lingue che caratterizza questa fine di millennio, questa confusione di identità che ha lasciato senza dispensa e pasticceria personalizzate le nostre povere ragazze che avrebbero voluto cantare canzonette.

Délicieux

(Per 8 persone)
*600 g di biscotti fini alle
mandorle, asciugati al forno,
pestati nel mortaio e setacciati
8 albumi d'uovo
4 cucchiai di zucchero fine
125 g di cioccolato da cucina
sciolto in quattro cucchiai
d'acqua a fuoco lento
125 g di zucchero caramellato
per rivestire lo stampo
1 pan di Spagna a base rotonda
50 cl di zabaione freddo
aromatizzato al kirsch (preparato
con tuorli d'uovo, zucchero fine,
champagne e listarelle di scorza
di limone, da cuocere a
bagnomaria sbattendo di
continuo)*

Si montano a neve gli albumi e si aggiunge lo zucchero desiderato, il cioccolato sciolto, i biscotti alla mandorla setacciati. Si riveste di zucchero caramellato uno stampo da Charlotte e vi si versa la miscela. Si cuoce il tutto in un forno preriscaldato a 180°, dove rimarrà per circa 25 minuti. Si ritira dal forno, si lascia raffreddare e si versa sul pan di Spagna. Al momento di servire, vi si versa sopra lo zabaione.

I francesi hanno inventato questo dessert consapevoli che buona parte della sua efficacia è dovuta al nome. Non è la stessa cosa dire "délicieux" che *delizioso* o *delicious*. In ogni incontro d'amore gastronomico arriva il momento in cui diventa importante svelare che cosa si sta mangiando e commentarlo. Offrire un *délicieux* per coronare un buon menù è come il colpo finale dell'ariete alla porta della Bastiglia. Di conseguenza, sia quale sia la propria nazionalità, è indispensabile che questo piatto venga sempre chiamato "délicieux", con quella pronuncia slittante che i professori di francese della IV Repubblica conferiscono di solito a questo tipo di parole. I professori di francese della V Repubblica hanno indurito il linguaggio e ne hanno sottolineato il carattere strumentale e tronco, in una trasformazione del rapporto significato-significante equivalente a quello di Sylvie Vartan paragonata a Martine Carol o di Françoise Hardy in confronto a Edith Piaf. Inoltre, il "délicieux" si presta a essere l'ultimo sapore gastronomico della notte e il primo del mattino, senza tener conto di quella pretenziosa e desautorata affermazione di Marx che sostiene che nella Storia ciò che è accaduto in forma di tragedia si ripete in forma di commedia. Il sesso e la Storia vanno di rado a braccetto.

Fichi ripieni alla siriana

(Per 850 g circa)
500 g di fichi secchi interi senza i peduncoli
25 cl di succo d'arancia
1 cucchiaio di succo di limone
1 cucchiaio di scorza di limone grattata
150 g di zucchero
150 g di mandorle o di noci sbucciate

Amalgamare in una casseruola i succhi, la scorza di limone e tre cucchiai di zucchero. Aggiungere i fichi e portare il tutto a ebollizione. Abbassare il fuoco, coprire la casseruola e far cuocere sino a che i fichi si siano ammorbiditi (da 30 a 60 minuti). Sgocciolare i fichi e lasciarli raffreddare. Quando si saranno raffreddati, vi si fa un taglietto con un coltello affilato dove prima c'era il peduncolo e si inserisce in ciascun frutto una mandorla o una noce. I fichi vanno richiusi e passati nello zucchero rimanente. Vanno poi sistemati su graticole metalliche e lasciati ad asciugare per tutta la notte. Si possono mangiare subito o conservare in un recipiente chiuso ermeticamente, dividendo ciascun strato di fichi con un foglio di carta oleata.

Il fico secco è un animaletto che si presta alla farcitura, e questo avviene in quasi tutte le culture mediterranee. Ma i siriani, possessori del più raffinato palato del Mediterraneo orientale, aggiungono un loro tocco: li cuociono prima in succo di arancia e limone, ottenendo risultati di grande squisitezza. Il fico secco ripieno ha un inevitabile aspetto di vulva, beninteso in conserva, eppure imbottita di sapori occulti e solidi. Alcune donne, nei momenti in cui la situazione e lo stato d'animo sorridono loro, ottengono che la loro vulva somigli a un frutto maturo, mentre all'interno conserva la durezza di un desiderio quasi osseo, vertebrato.

Si tratta di un dessert-esca che va adoperato quando si conosce a fondo la partner (il fico ripieno alla siriana, e il fico in genere, deve essere sempre un richiamo maschile ed eterosessuale, vale a dire che si tratta di un richiamo che coincide con tutti i criteri morali dell'*ancien régime*). Le donne che di solito ritengono volgari certe associazioni e insinuazioni gradiranno poco che si ricordi loro il rapporto accidente-sostanza che può avverarsi tra il fico e la loro vulva. Invece, le donne meno chiuse al linguaggio e alla psicologia accettano spesso ludicamente la provocazione immaginativa dei fichi. Vi sono alquanto ben predisposte le femministe di ritorno e le mogli infedeli senza sensi di colpa. Le nubili tuttavia reagiscono quasi sempre facendo le scontrose.

Uova marmorizzate

(Per 8 o 10 persone)
24 uova
250 g di bietole, se si vogliono le
uova verdi o un peperone dolce
arrosto, se le si vuole rosse,
zafferano in polvere sciolto in un
cucchiaio di acqua bollente
sale
1/4 di cucchiaino (due pizzichi
abbondanti) di cannella
in polvere
200 g di zucchero
30 g di burro
acqua di fiori d'arancio
semi di melagrana

Rompere le uova in quattro scodelle, 6 per scodella. In una sco-
della si aggiungono le bietole ridotte in purè, in un'altra il pepe-
rone dolce sempre in purè, nella terza lo zafferano, e nell'ultima
vanno lasciate le uova con il loro colore naturale.
Si aggiungono alle uova sale, pepe, cannella, zucchero e poi si
sbattono. Si scioglie il burro a fuoco lento in una pirofila da for-
no. Quando è fuso vi si versano le uova rosse. Quando si sono
leggermente rapprese, vi si versano sopra le uova allo zafferano.
E così per i successivi strati, cercando di farli rapprendere legger-
mente. Si possono sovrapporre gli strati a volontà, a seconda del-
la misura dello stampo. Mettete lo stampo nel forno preriscalda-
to a 170° e lasciate cuocere per 30 minuti circa.
Il dessert va tagliato in porzioni, spruzzato d'acqua di fiori d'a-
rancio e servito con semi di melagrana.

L'uovo è un jolly gastronomico senza immaginazione. Alcune uova si cucinano miserevolmente e si mangiano miserevolmente: bollite e basta. Certe uova fritte ammettono il collage sostanzioso di una cucchiaiata di caviale iraniano al posto del sale. L'uovo si adopera di solito per aiutare architetture gastronomiche di grande portata e si ignora chi abbia ideato per primo questa fantasia da lavori pubblici chiamata uova marmorizzate: probabilmente un imprenditore edile o un architetto pompier in pensione. Ecco un piatto con cui sedurre coloro che spalancano la bocca davanti alla riproduzione del Duomo di Milano fatta con degli stuzzicadenti, o a quella del Taj Mahal dentro a una bottiglia di Ginger Ale. A tale razza appartengono anche gli inventori della meringa o del seltz.

Ma per quanto riguarda la sessualità bisogna essere possibilisti senza degradarsi ed è più frequente venire scelti che scegliere, come il personaggio di Beckett che più che muoversi veniva mosso. Con questo piatto si può far provare l'estasi ai provinciali abbonati al Financial Times, in genere esseri malmaritati che hanno vissuto poco, e tengono sul comodino un paesaggio nella bolla di neve. Nel caso non funzionasse il potere di seduzione del piatto, conviene indossare indumenti intimi convenzionalmente eccitanti: slip neri a rete o boxer di velluto imitazione pelle di leopardo. Nessuno deve sorprendersi se, dopo l'amore, il partner più sincero si porterà a casa nel portavivanda una porzione da mostrare a un amico intimo.

143

Lattaiolo

(Per 6 persone)
1 litro e 1/4 di latte
sale
una scorzetta di limone
un pezzetto di vaniglia
2 uova
6 tuorli d'uovo
2 cucchiai di farina
noce moscata grattugiata
mezzo cucchiaino di cannella
in polvere
100 g di zucchero a velo

Si mette il latte sul fuoco con un po' di sale, la scorza di limone, la vaniglia a calore medio. Quando comincia a bollire, si abbassa la fiamma e si lascia bollire molto lentamente per 30 minuti. Si toglie il velo che si forma in superficie, usando un mestolo di legno. Si lascia raffreddare il latte. Si riscalda il forno a 150°. Si mettono le uova e la farina in una scodella. Si sbattono. Si aggiungono la noce moscata e la cannella. Si aggiunge questo miscuglio al latte freddo e si sbatte a dovere. Si passa il tutto in un'altra scodella filtrandolo con una garza. Si imburra uno stampo per il pane a cassetta e si versa il contenuto della scodella. Si lascia cuocere il tutto nel forno preriscaldato per 40 o 50 minuti. Lo si lascia raffreddare per 1 ora. Si copre poi lo stampo con carta stagnola e lo si tiene in frigorifero per 4 ore. Si libera il budino dallo stampo su un vassoio e si spolvera con zucchero a velo.

Si consiglia agli italiani di non adoperare questo piatto nei loro incontri amorosi, così come agli spagnoli di evitare la *leche frita* e ai francesi qualsiasi dessert domestico a base di latte. Tutte le etnie amano i loro dessert al latte, ma solo se associati all'immagine della mamma o della nonna, immagini che non entrano in camera da letto, tranne in casi aberranti che mi rifiuto persino di prendere in considerazione. Per i seduttori non italiani, invece, spiegare al partner che si sta per mangiare un *lattaiolo* è quasi come proporre la degustazione di un geroglifico egizio inserito tra due versi di Ezra Pound. *Lattaiolo* è una parola piena di maschilismo[1] adolescente e suggerisce pertanto innocenza e virilità con cui spalancare possibilità immaginative alle persone colpite da una lunga astinenza o insufficienza sessuale. Ho offerto una volta questo dolce alla moglie trascurata di un campione regionale di nuoto e i suoi occhi si sono riempiti a un tratto di tenerezza, per me e per lei. In fin dei conti lasciarsi andare al sesso è sempre un omaggio che si fa a se stessi, con uno strano esercizio dell'egoismo capito sino in fondo.

[1] Vedi nota di pag. 57.

Marmellata Montserrat

(Per tre chili e mezzo)
1 pompelmo tagliato a fette
1 arancia tagliata a fette
1 lime (o un limone) tagliato
a fette
1 ananas decorticato, senza il
torsolo e tagliato a cubetti
1 chilo e 3/4 di zucchero
2 litri d'acqua

Immergere la frutta nell'acqua e lasciarla a bagno in un recipiente coperto per tutta la notte. Il giorno dopo si scopre il recipiente e si fa bollire per 15 minuti. Si fa riposare per 24 ore. Si aggiunge lo zucchero e si fa sobbollire il tutto per un'ora circa, sino a quando la marmellata si sarà addensata.
La si versa in recipienti caldi sterilizzati che vanno chiusi ermeticamente.

Anche se il nome induce a credere che si tratti di un piatto catalano, nato per devozione alla madonna nera di Montserrat, una delle molte madonne protettrici dei catalani, è invece un piatto caraibico, nato forse dai lavori e dai giorni di una signora di origine catalana chiamata Montserrat, uno dei nomi più catalani che si conoscono. Marmellata di trasparenze e acidulità, che accorpa i frutti tropicali facilmente assimilabili da un palato arrivato di recente nei Caraibi. Montserrat fu forse un'immigrante in transizione dall'arancia di Valencia alla papaia. Dalla marmellata che le si deve, bisogna immaginarla come una signora castana, con la pelle rosea alla maniera irlandese, tette rotonde un po' flaccide di donna che ha allattato (sono loro a fare le migliori marmellate) e un culo un po' alto e impertinente, perché il corpo è un ecosistema e quando questo ecosistema è saggio, compensa la rotondità flaccida delle tette con la consistenza altera delle natiche, questo per le femmine. Per i maschi, chi è stretto di spalle ha di solito un pene altero e viceversa, anche se chiunque può addurre esempi contro quanto affermo, visto che non mi prenderò il disturbo di accertarlo. Questa marmellata è molto nutriente per la pelle, e si può quindi adoperare come un *after sun* e *before love*, non necessariamente nei Caraibi, ma possibilmente nei Caraibi. Ogni mare ha la sua marmellata. Nei mari del nord non c'è come ungere i corpi con marmellata di lampone e nell'Egeo con quella di fico.

Torta di pistacchio

(Per 4 persone)
500 g di pistacchi sbucciati
2 chiare d'uovo
1 cucchiaino di scorza d'arancia
250 g circa di zucchero a velo
10 albumi d'uovo e 10 tuorli
1 noce di burro

Pestare i pistacchi in un mortaio e ammorbidirli con 2 albumi d'uovo; si aggiungono la scorza d'arancia grattugiata, lo zucchero a velo, i dieci tuorli d'uovo, e si mescola bene il tutto. Si montano a neve i 10 albumi d'uovo e si incorporano con attenzione nel miscuglio. Si imburra uno stampo e vi si versa il tutto, tenendolo nel forno a fuoco moderato per 1 ora.

Sebbene i dessert siano succedanei dello spirito, nonché retorica e rituale, è tuttavia vero che gli antichi hanno ritenuto il pistacchio gemma con fulgori di piacere e lo offrivano in dolci e torte agli inappetenti o agli eiaculatori precoci. È di origine persiana, adottato dai turchi e coltivato nelle isole della Grecia dove fa da re. La cucina del pistacchio non è molto più interessante di quella delle noccioline americane. I polinesiani hanno saputo portare le loro salse e zuppe di noccioline americane nel cuore delle metropoli: il pistacchio invece è rimasto un frutto secco del Meridione, da palato di seconda categoria, come tutte le cose meridionali di questo mondo.

La torta di pistacchio si fece strada nella memoria dei Crociati e viaggiò con essa sino al ritorno in patria. Ma soltanto oggi, ora che il pistacchio è diventato un ennesimo gadget nei supermercati del gadget, si è potuto accertare se la torta di pistacchio è una povera avventura immaginaria del nord del corpo o invece una splendida avventura muscolare del sud.

Banane al rum cotte al forno

(Per sei persone)
6 banane grosse sbucciate
e tagliate a metà nel senso
della lunghezza
125 g di burro
4 scorze d'arancia grattugiate
10 cl di succo d'arancia
3 cucchiai di succo di lime
o limone
1/2 cucchiaino di cannella
in polvere
4 cucchiai di miele liquido
6 cucchiai di rum bianco
panna da cucina densa

Dopo aver fuso il burro in una pirofila, vi si ungono le banane tagliate a metà. Versatevi sopra il burro rimasto, spargete la scorza d'arancia grattugiata, aggiungete il succo di arancia o limone, la cannella e il miele. Fate cuocere il tutto per 15 minuti circa, nel forno già caldo, a 190°. Scaldate poi il rum sul fornello, versatelo sulle banane e fatelo flambé. Servire in tavola ancora flambé con la panna densa a parte.

L'immaginazione popolare più salace ha promosso la banana a rappresentazione allegorica del fallo, del fallo considerato con uno sguardo dolce, si capisce, perché il fallo duro e aggressivo ha come riferimento la carota, e il fallo infantile e problematico ha l'asparago, sebbene l'asparago venga coltivato in zone di autocompiacimento maschilista. La ricetta che qui si descrive è una formula acculturata e artificiosa che corregge e migliora la tradizionale *Banana al rum* che viene quasi sempre preparata come dessert "quando non si sa cosa preparare come dessert". In simili casi bisogna ricorrere alla magia e questo piatto ha pertanto bisogno di linguaggio, di letteratura. È molto adatto ad essere gustato a cucchiaiate incrociate, lui che mangia quella che lei gli porge, e viceversa. Il semplice compito di tagliare la banana, ammorbidita da tanti fattori, eccita l'immaginazione erotica e relativizza il carattere negativo che talvolta suscita la cosiddetta "invidia del pene". Non tutti i membri sono da invidiare: principio di cui quasi tutti gli uomini sono stati sempre consapevoli e di cui, negli ultimi decenni, le donne hanno cominciato a impadronirsi. La *banana al rum cotta al forno* demitizza, rende ludica e insieme lubrifica, ogni "penelogia" negativa e, mangiata in abbondanza, può compensare fallimenti amatori successivi. Per la donna, se è generosa, perché le ricorda un confuso paradiso di banane dolci e per l'uomo, se ha capacità di autoinganno, perché arriva a convincersi della sazietà della partner, senza domandarsi quanto di questa sazietà sia attribuibile solo alle banane.

Banane flambées

(Per 4 persone)
4 banane
1/2 tazzina di zucchero
1 tazzina di farina
100 g di burro
kirsch o altro liquore

Si sbucciano le banane e si tagliano a metà per il lungo; su cia-scuna si spolvera lo zucchero, si passano nella farina e si friggo-no nel burro o nell'olio. Si mettono poi su un vassoio molto cal-do, si spolverano con altro zucchero e vi si versa un po' di kirsch o di un altro liquore. Quando vengono servite, ormai a tavola, si fa flambé il liquore. Per questo succulento dessert, adopero per-sonalmente un miscuglio di 1/6 di crema di banane e 5/6 di ot-timo rum; aggiungo inoltre sei ciliegie snocciolate per persona. Si dà fuoco al liquore direttamente nella padella, ma soltanto sulla frutta, e prima che si sia spento si serve tutto nei piatti. La salsa rimasta si versa nei piatti.

Questa ricetta, attribuita a Escoffier e modificata da Harry Schraemli, viene aggiunta al presente breviario di malizie come speciale omaggio all'erotismo delle Canarie. Parto dalla premessa, mai smentita dai fatti, che delle cinquemila donne che più mi sono piaciute al mondo, quattromilaottocentododici erano figlie delle Isole Canarie. La banana è un animale imparentato con il figlio prediletto dell'uomo, quel figlio nascosto che ogni uomo porta con sé nel sud del corpo, un figlio che ama svisceratamente e che mai scapperà da casa in tutta la sua tormentata esistenza di uscite e rientri senza la benché minima possibilità di evadere dalle proprie radici. Mangiare una banana ha sempre un pizzico di atto irreparabile e suscita nelle donne la stessa curiosità della scomparsa di un coniglio nel cappello del prestigiatore. Le associazioni di immagini finiscono col diventare associazioni di idee e quando un uomo mangia una banana deve trovarsi nelle condizioni di soddisfare il diritto della partner all'associazione di idee e di immagini.

Indice

Stampa Grafica Sipiel
Milano, novembre 1998